U0135897

泰勞靠權證 8萬變千萬

卜松波、陳淑泰◎著

第2篇

簡單易學的獲利方程式

第3篇

精準抓變盤＋飆股，一出手就賺

第4篇

挑對權證　摸清交易眉角

第5篇

培養一定會贏錢的「心」

策略不在多　賺錢則行

「天無絕人之路」這句俗諺套用在權證達人卜松波身上，真是再貼切不過。他來自泰國偏鄉，早年喪父，雖然學習成績優異，卻沒有錢完成大學教育。懷揣著一份出人頭地的夢想，他告別家人，千里迢迢來到台灣打工，為的是賺一份1萬2,000元的月薪，但這已經比當時泰國公務員月薪高出5成以上！因此當他初到台灣、落腳宜蘭的那一刻，望著人生初次見到的壯麗海洋，他內心充滿希望，感覺窮困的人生可以在此翻轉。

他努力工作、認真存錢，還認識一位美麗嫻淑的台灣女子，在歷經一場艱辛的家庭革命後，雙方結為連理。眼看著好日子就要來臨，卜松波卻在此刻病倒，家庭經濟也陷入絕境。因為無法工作，卜松波拿著僅有的8萬元存款投入股市，本錢太少最後只能選擇權證。背負著輸不起的壓力，中文字認識不多、沒有財經背景的他，只能以格外專注的精神，致力於短線快進快出的交易。就在大多數人都不看好的情況下，他竟

然成功靠權證翻轉命運，4年內，把8萬存款變成千萬。

　　這個近乎神奇的故事，首次刊登在《Smart智富》月刊第185期（2014年1月），迅即引來廣大迴響。很多人都好奇，在權證這個贏家不到1成的高難度市場裡，這位連中文都看不太懂的「外行人」，怎麼可能成功？

　　「你們會不會辦卜松波的講座？」、「會出版他的書嗎？」類似的信件湧入《Smart智富》月刊編輯部，讀者的殷切期盼、卜松波的樂意分享，促成本書的付梓。籌備期間，甚至有人跟卜松波表示，他沒必要這麼慷慨，無私、無保留地把自己賺錢的祕密公開。但卜松波的回應卻極為寬容大度，他認為自己曾經在絕境邊緣掙扎，如果這本書能幫到人，對他來說就是一件開心的事。

　　本書所寫的操作技術並不複雜，卜松波坦承，那些複雜的金融數學他都不懂，所以他只專注在盤面交易變化上，透過日復一日緊盯著盤，他觀察出一些簡單、但經常重複出現的價量變化模式。雖然不是每筆交易都能賺錢，但卻有著極高的勝率。他深信只要能維持著高勝率，搭配「賺錢加碼、賠錢鎖單

避風險」的資金管理策略，長期就能成為市場贏家。

找到賺錢模式，重複做、做到精，乃是卜松波從權證市場提款的關鍵。他不貪多，不被每日市場紛雜的訊息混淆，只專注於交易上。他認為有些人在權證市場上賺不到錢，並不是知道太少，反而是知道太多，過度想要面面俱到、殫精竭力追求絕對不賠錢的交易，反而常常徒勞無功。卜松波這套追求極簡、極精的交易手法，帶給我很深的啟發，相信也能讓賺不到錢的你找到從賠錢轉向賺錢的契機。

《Smart 智富》月刊總編輯

真心分享
希望大家都能過好日子！

　　自小因為長相和貧窮而自卑，在台灣當「外羅仔」（外勞），有矮人一截的感慨。好不容易和心愛的人結婚了，為了謀生活，甚至要到外地工作，相當無奈。我一直想比人強、可以賺大錢，為自己的心情和經濟找到出口。

　　記得在我們生活一團混亂時，我老婆芳玉的三嫂，曾帶我們去宜蘭壯圍有名的「將軍廟」算命。裡面看面相的老師說，我會很努力、想盡辦法賺錢，但賺不到什麼錢，然後可能會傷心地離開台灣，也許回到泰國、或在世界的某個角落。當時我已經開始操作股票，便問他做股票好、還是做生意好？他說他自己很會算，但是投資股票還是賠錢，叫我放棄做股票，做生意比較有賺錢的可能。

　　所以我嘗試去學按摩、學做花生糖、泰國料理，想辦法做

各種生意，但繞了一大圈，最後還是只有股市能讓我百折不撓、愈戰愈勇，終於讓我在這裡嘗到賺錢的果實！

在我找到用權證賺錢的方法後，覺得賺錢太簡單了，所以想享受、想炫耀，很捨得花錢，買幾千元的名牌衣服、鞋子，眼睛眨都不眨，單日獲利創新高，就請親朋友好吃大餐。開始賺錢不到兩年，就訂購一台「領牌車」（編按：又稱業績沖牌車，是經銷商為了達到年度或季度業績量，而預先領取牌照的車），請賣家把車從台北開來宜蘭，再請朋友幫我開回家，因為我那時根本還不會開車！

自己開上路時，還左腳踩煞車、右腳踩油門，這樣開了一段時間；後來載一個朋友時被糾正，才知道原來只要用右腳控制就行。不到1年，因為看到喜歡的車款，我又換了第2台車。

參加《Smart智富》月刊的權證達人競賽活動，可以說是達到我炫耀的高峰，很多人認識我，我也認識了很多各地想賺錢的朋友。我很樂意分享，希望大家都能過好日子！聽到有人因為學了我的方法而賺錢，我就會很高興，我才發現，原來分享、同樂比炫耀更開心！

在此，我要特別感謝我的老婆芳玉一路的支持和陪伴，還有她的媽媽、三哥和三嫂，在我們徬徨無助的時候給了非常多的協助，點點滴滴，我銘記在心頭；其他家人從一開始對我專職投資抱持懷疑、到現在支持，我也很感謝。芳玉的爸爸從一開始不願意接受我，到後來因為我工作認真，逢人就說「我的女婿是泰國人」，如果現在他還在、看到我的投資成績，不知道會多麼開心地介紹我給親友認識！

另外我要感謝富邦證券羅東分行的蕭鈴香小姐，如果不是當初她那麼熱心，不在乎權證手續費收入低、毫無保留地教我權證，我不會有今天的成績。還有謝謝台灣股市給我這個賺錢的機會，不然，以我的學歷和工作技術，一個月最多賺5萬元左右，就算不吃不喝，也要20年的時間才能達到我現在用權證賺到的錢！所以，雖然距離真正的「有錢人」還有一大段距離，我還是很樂意在此書分享自己的權證賺錢方法。

而我最感謝的是《Smart智富》月刊主筆陳淑泰小姐！在《Smart智富》月刊舉辦的權證達人甄選時，她跑到我面前對我說：「我只對你有興趣，只想寫你的故事……」我真的很感動！我不敢說她是慧眼識英雄，因為我不是英雄，只能說她真

的是慧眼獨具！為了這本書，要跟我這溝通不良、不會表達的
泰國人，不斷地討論，費盡心思和無比的耐力！所以，在此我
真的要特別感謝淑泰這位特別的朋友！

在《Smart智富》月刊邀約我寫書時，我很擔心我的方法沒
辦法寫成一本書，一個朋友還潑我冷水說，「應該2頁就寫完
了」，但我真心想幫助需要的人。不論最後書賣得好不好，我
都會把本書的版稅所得全數捐出，回饋給這個社會上需要幫助
的人！

1

我的貧窮翻身之路

1-1 幼時簡樸的鄉村生活

　　我的泰文名字是Songpou Putchootchi，1971年出生在泰國東北邊陲Sakon Nakhon（中文譯為沙功那空）的鄉下，這裡很靠近寮國。

　　以前我們要去曼谷，得先坐「聳條」（泰語，指只有兩排長椅墊、由貨車改裝、無空調的車子）1小時，顛簸在沒有鋪柏油的黃土路，到沙功那空市區後再轉搭大巴士，坐十幾個鐘頭才可以到達曼谷；一直到3年前，沙功那空才有國內機場，可以直飛曼谷。

住木造高腳屋，靠媽媽種棉花做被子禦寒

　　父親在我2歲時過世，留下母親和我們7個孩子，還有一塊很小的田地；母親堅持不改嫁，靠著編織竹籃、種稻撫養我們。我在家排行老么，從小就很不喜歡自己的塌鼻子，常跟媽

媽抱怨説，因為我是最後一個，爸媽就隨便做。

　我們在鄉下的房子是木頭造的高腳屋，這樣可以防淹水，下面也能養雞鴨牛等動物；有時牛用角去撞柱子，我們在房子裡，就感覺好像發生大地震一樣。家鄉緯度比較高，冬天其實很冷，並不像大家印象中四季如夏的泰國；木造的房子夏天涼快，但冬天沒辦法防風，勤勞的媽媽就利用沒人想耕種的旱地種棉花，自己做棉被來禦寒。

　母親種稻和編織收入非常微薄，她只好想法子多賺一點錢，用自己種的稻米私釀米酒；在泰國釀酒並不容易，要把酒甕埋到土裡去蒸餾。我們必須冒著被警察抓的危險，等太陽下山之後，到樹林裡掘土挖洞，再把酒甕埋進去，我在很小的時候就要幫忙挖土。那時候一桶大約5公升的酒，雖然只能賣泰銖100元，但也算是對我們生活有一點點幫助。

小時沒配菜養成愛吃辣，現在下單口味也愈來愈重

　我小時候喜歡吃辣，因為沒有什麼菜可以配飯，吃辣是為了多吞點飯，讓肚子不會餓，所以口味愈來愈重。現在我在交易

的時候，感覺自己好像下單也愈下愈重，讓我想起小時候愛吃辣的往事。

不過那時候，我對貧窮沒有什麼特別感覺，因為在鄉下地方，大部分人都是種田種菜、養雞鴨牛的，除了考上公務人員的收入比較好一點，大家的生活都差不多。除了農作時間、大家各自去田裡幹活，其餘時間都在自己家裡閒躺，或是到鄰居家坐坐聊天，並不會積極地去做其他事增加收入；所以整個

卜松波提供

▲我出生在泰國東北邊的鄉下，住的是木造高腳屋。

村、甚至連隔壁村的人彼此都認識、感情很好，有時候，媽媽出去忙來不及回家煮飯，我會去鄰居家裡吃飯，大家都像是一家人一樣，很輕鬆自在！

1-2 大學中輟 體會沒錢的無奈

　　我小學時念書常考第一名，可以拿到獎品，有一次還拿到泰銖200元獎學金，讓我印象很深刻。不過我是小時了了，國、高中成績就沒有那麼突出，但我的字很漂亮，常常被老師叫上去抄黑板；我的歌喉也不錯，也常常被叫上台唱歌。那時候，我曾夢想外型不佳的我，可以靠聲音到廣播電台上班。

因沒錢放棄學業，在曼谷打工卻存不到錢

　　大學考試時，我考上一所在曼谷的大學，但只念1年就因學費太貴而中斷，那時並沒有「助學貸款」這種東西，我只好放棄學業，主要還是因為家裡沒錢，沒動力念書，一心只想賺錢，這算是我第1次體會到沒有錢的無奈。

　　之後我並沒有回到家鄉去，因為在鄉下只能種田過活，很

少人會想靠別的多賺點錢。所以離開學校後,我到曼谷和小姊姊一起住,在她工作的報社印刷部打零工,1個月薪水大約泰銖4,000元～5,000元(以當時的匯價,泰銖1元約合新台幣0.995元)。

在曼谷生活費比鄉下高出很多,這樣的薪水只夠我應付吃喝,存不了錢。在報社時,我聽人家說到台灣當「外勞」,1個月可以賺泰銖1萬2,000元,加班可以賺到2萬～3萬元,這對我們來說是很誘人的薪水,因為在泰國就算大學畢業、考上公務員,也只有泰銖7,000元～8,000元的薪水。當老師的比較好,大概1萬元,已經是很好的工作。

貸款赴台當外勞,月薪僅 1 萬出頭也存不了錢

於是我決定要當外勞,可能就像現在台灣年輕人會去澳洲打工的心情一樣。我向銀行貸款泰銖10萬元,付仲介費、機票錢,到台灣當外勞,那時候是1993年8月,我22歲。

記得我來台灣下飛機後,坐車沿著濱海公路到宜蘭,風景真的很美、很吸引我,這是我第一次看到海;我一直有預感,來

到台灣是我新生命的開始。在第一封寫給母親報平安的家書
裡，我把看到海的心得都描述給她聽，我還說雖然來台灣花
了將近泰銖10萬元，但卻非常值得；媽媽回信給我，說我明
明到台灣是為了賺錢，但花的一大筆錢還沒賺回來，就說值
得，腦子好像有問題。哈哈！

　剛來台灣時，我落腳宜蘭，在鐵工廠上班，月薪只有1萬元
出頭，每月還掉貸款後，也剩下不多。下了工之後，因為語文
不通、又怕花錢，我也不敢到處跑，沒事情做時，我就抱著國
語字典，自己學中文的拼音、練練寫字。

✏️ **N**ote

1-3 到台灣當外勞 遇見改變命運的「芳玉」

當時來到台灣工作時，有一個台灣同事對我非常好，幾乎就像是家人一樣地關心、照顧我。他看我都待在工廠裡，就帶我去他信的一貫道佛堂聽課；第一次去的時候，我認識了我現在的太太——芳玉。她當時是幼稚園老師，因為信仰的關係，她曾經跟著佛堂的人去過清邁一段時間，所以我的同事請她到佛堂來幫忙翻譯，讓我們這些從泰國來的外勞也能聽懂一貫道的教義。

語言交換結識現任妻子，卻因外勞身分受阻礙

因為我很想把中文學好，就打電話問芳玉可不可以教我中文、我也可以教她泰文？本來她對我沒什麼好感，因為我那時留著一頭長髮，遮到一邊眼睛，邊講話還要邊撥開頭髮；她心裡雖然不是很樂意，但還是答應了。

　　那時候，我幾乎每天打電話給她，最常問的就是「吃飽了嗎？」還有「洗澡了沒？」幾次後，她終於忍不住跟我說，「你問我『洗澡了沒？』很奇怪耶！」我說，這在泰國是很平常的問候啊！因為在泰國很熱，很容易流汗，身體會有味道，所以大家出門前都會洗個澡，也經常彼此問候洗澡了沒？

　　我想芳玉會對我有好感，主要是一次抄寫情歌的事。那時她有個朋友很喜歡一首英文歌：「誰撿到這張字條，我愛你」（Whoever Finds This, I Love You），她聽說我的字漂亮，便要求我幫她抄寫歌詞。因為我很用心地寫，而且字跡工整，她深受感動。我們逐漸有了感情，在我來台灣的第2年，彼此認定為戀人。

　　不過那時候的我，瘦瘦乾乾的，又有個塌鼻子，身上沒有什麼錢，芳玉則是有漂亮的瓜子臉，五官很細緻，不論是各方面我都覺得自己條件差、配不上她。原本剛開始在台灣工作時，我都不覺得被人瞧不起，直到和她開始交往，別人看我們的眼神都怪怪的，才感覺人和人之間是有差別的。

　　我同事自告奮勇地去幫我打聽芳玉家的情況，聽到她爸爸

好像是民意代表，就跟我說：「這很難，我看你還是放棄吧……」果然，我們倆的感情也受到來自她家人的阻礙。

記得我第一次去她家那天是情人節，她先到工廠找我，我送她一朵玫瑰花，她說要帶我回家見她的父母，我不知天高

▲芳玉年輕時長髮飄逸、笑容甜美。

地厚，還很勇敢地說：「不入虎穴，焉得虎子。」進她家之後，芳玉臨時有事出門一下子，只留我和她父親坐在客廳裡，我看到他眼光很嚴厲，嚇得腿都軟了，但沒多久，我還是鼓起勇氣說：「我想要跟芳玉結婚。」他冷冷地回答說：「你住那麼遠，我辦不到！」

之後空氣像是凝結了，兩人相對無言。直到芳玉回家，看氣氛不太對，馬上就載我回工廠。現在回想，自己那時候真的很天真。其實去找芳玉爸爸之前，我也想過他不可能答應，但是我不去，芳玉還是會跟著我，我只是想讓他知道我的誠懇。

工作期滿回泰國，因思念改姓再度來台

隔沒有幾個月，有天我在工作的時候，辦公室小姐叫我去停車場，說有人找我，原來是芳玉的父母和哥哥跑來工廠找我，要求我和芳玉分手，要我不要再和她見面、聯絡，否則就打斷芳玉的腿；他們還安排芳玉到台中她三哥開的小吃店幫忙，想斷絕我們彼此的聯繫。

這時我在台灣兩年工作契約已經快期滿（那時台灣規定外籍

勞工一生只能申請來台工作1次，每次工作只能2年），而且還發生另一件事，我二哥也申請來台工作，但受不了工作的管束，偷跑回泰國，因為我是他的保證人，所以必須幫他繳罰金，我在台灣工作存下的一點點錢也因此全部歸零。這兩件事同時發生，真的讓我超級沮喪。

　　我回到泰國之後，心還是留在台灣。越洋電話很貴，相思無處可訴，只能用我僅會的簡單中文，寫信給芳玉。我常常想

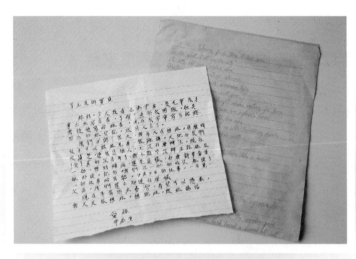

翁挺耀攝

▲我書念得不多，但字跡工整漂亮，讓芳玉對我印象變好。

起她曾告訴我牛郎織女會在農曆7月7日時相會的中國故事，但牛郎和織女一年至少可以見一次面，我們卻不知何時能再見到，比他們更加無奈。

　我一直想再回到台灣，於是改用媽媽的姓，重新去辦另一張身分證，離開台灣1年之後，又成功申請第2次來台灣。這次工作的地方在台南，雖然離宜蘭有點距離，但總沒有像泰國那麼遠，我和芳玉要見面至少沒那麼困難了。

1-4 成為「外籍新郎」 工作路卻不順遂

我到台南工作只做了1年，芳玉就毅然決定要嫁給我，我真的是欣喜若狂。其實我在認識芳玉後，就認定她是我這輩子的終身伴侶；記得我在10歲時，有一次高燒不退，神智不清、差點病死，我媽媽去求一位會算命的師父，他說我這次會平安度過，不用擔心，而且預言我以後的另一半，會在很遠的地方。

瞞著妻子的家人在曼谷完婚，回台登記時還被虧

我們在一貫道的道場認識一個和泰國人結婚的台灣大姊，她教我們如何辦結婚的事，於是芳玉就瞞著父母和哥哥，偷拿家裡的戶口名簿，坐飛機到曼谷和我會合。

我帶著她坐車十多個小時，在顛簸的山路間搖晃，回到我家

鄉辦傳統的泰國婚宴；我的親朋好友都很羨慕我，說我條件不好、又沒什麼錢，還可以娶到這麼漂亮的台灣老婆，真的很幸運。有了可以證明結婚的照片之後，我們到台灣駐泰國經濟文化辦事處登記結婚。

在泰國結完婚後，芳玉先回到台灣，到宜蘭戶政事務所補辦台灣的結婚登記，好幫我辦長期居留證，那時戶政人員還酸

卜松波提供

▲我帶著芳玉坐車十多個小時，回到家鄉辦泰國傳統婚禮。

她：「台灣是沒有男人？」所以她嫁給我是真的很委屈。

第 1 年不能工作，沒錢只能住靈堂附近便宜房子

1個月後，我的長期居留證辦好了，我也準備移居到台灣；當時台灣政府為防假結婚真打工，規定外國人結婚第1年不能工作，加上知道芳玉的爸爸很不高興我們私定終身的事，我不敢直接到宜蘭去，所以就託在台南時認識的「道親」（指一貫道信徒），先幫我在台南找到非法打工的機會。所以到台灣下飛機後，我就直接搭公車往台南去了。

我的新婚妻子芳玉想要偷偷給我驚喜，跑到機場接機，卻沒先告訴我，我們錯過了彼此、沒有見到面；她在機場空等了大半天，回到家已是半夜1、2點。

在台南的工作是不合法的，工作環境很糟、非常熱，也要用很大的力氣，1個多月後我就受不了，決定放棄，勉為其難地先住進芳玉宜蘭的家裡。

芳玉的父親一開始不願意接受我，不跟我說話，不正眼瞧

我，那時我才知道原來芳玉父親當過鄉代表和水利會主席，在地方上算是有頭有臉的人物，芳玉是他唯一的女兒、又是老么，可以想像他有多麼不高興了。

我就跟芳玉說我們搬到外面去住好了，因為我真的很不好意思住在她家。那時候我們沒有錢、只能住在醫院靈堂附近的便宜房子，因為我還不能工作、只能待在家裡，每天都聽到靈堂傳來的誦經聲，實在很受不了。

靠老婆哥哥介紹當攝影助理，因中文差常搞烏龍

結婚滿1年後我開始找工作，芳玉的三哥因為念藝術和攝影，在婚紗公司兼職，就拜託他們的老闆安插我去他們公司當攝影助理。那時我的中文能力還是很差，常常聽不懂攝影師的指示，有一次攝影師叫我拿頭巾蓋在新娘的頭上，我卻錯拿成羅馬柱子，現在想到都還覺得好笑，也對攝影師很不好意思。

我和芳玉結婚時沒拍到婚紗，三嫂拿了一些二手禮服，幫我們補拍婚紗；真的很感謝他們。

重返工廠當電焊工,迎接大女兒出生

還有一件事我也記憶猶新。921大地震時,因為我們租的
房子在高樓,於是搬回芳玉家住一段時間,這時我感覺自己學
不來婚紗店的工作,決定重新回到工廠做電焊工。

卜松波提供

▲老婆的三哥、三嫂拿了些二手禮服,幫我
們補拍婚紗。

　　第一天要出門上班的時候，芳玉的爸爸問我：「你知道到工廠的路怎麼去嗎？」我回答：「知道啊！」但他還是說：「我帶你去。」其實工廠離家裡很近，但他還是堅持騎摩托車載我過去。

　　我一個快30歲的年輕人，坐在一個60歲「阿伯」摩托車後座，心裡真的百感交集。我能夠感受到他對我的關懷，也能體會他一開始無法接受我和芳玉的婚姻，只是怕孩子離開自己太遠，擔心孩子會不會在外頭吃苦？並不是因為我是一個泰國人而反對。

　　因為有居留證，我重回工廠時，月薪已有3萬1,000元。但這時候我們已經有大女兒，老婆待在家裡照顧小孩，所以這份薪水要養活我們一家三口。

　　不過，老天爺對我並不算太差，在大女兒9個月大時，我一次「投資」出現豐厚的獲利！那時很多保險公司來推銷保險，也許是他們太會講，我太太不好意思推辭，投保了3家，我知道後，一直罵她是不是瘋了？想叫她退保，但她說錢都繳了，等下期要繳費時再說好了。

　　沒想到隔一個多月，一天晚上我們出門吃完晚餐，剛騎上機車要轉彎，就被快速開過來的汽車撞上，我們住院將近一個月，獲得約100多萬元的理賠金，付清醫藥費後，還剩下100萬元，成為我們的購屋基金，讓我們在羅東鎮的羅莊里買了一間小公寓，終於有了自己的窩，可以說是因禍得福。

感嘆貧富差距，不甘只能用勞力換溫飽

　　在工廠裡的工作並不輕鬆，老闆很會狂罵我們，工人私底下都叫他「媽祖（罵族）」。有時老闆特別不爽，會要我們這些工人排排站，連續用台語狂飆1～2個小時髒話；但越南、菲律賓的外籍工人都會說：「沒關係，反正聽不懂，站在這裡不用工作，照樣可以領錢。」

　　老闆很喜歡買車，進口車一台接著一台換，有次我忍不住問他，為什麼要買那麼多名車，他說：「沒辦法，有錢呀！」這個答案真的讓我覺得很不公平。我們這些用勞力賺錢的，只能用健康和生命去換一點基本溫飽；如果想多賺錢，必須硬撐著身體，熬夜通宵加班，一個月才可能賺到5萬多元。有錢和沒錢的差距真大！

　　此外，我的五官很明顯就是東南亞臉孔，走在路上，經常有人在我後面叫著「外羅仔」（台語，意指外勞，有輕蔑之意），芳玉去買菜，還有賣菜的阿婆會語帶同情地問我太太，「你尪對叨位來？（台語，你先生哪裡人？）做什麼工作？很辛苦吧！」那時我常抬頭仰望著天，想問老天爺：我的人生真的只能這樣嗎？

1-5 嘗試各種賺錢法 現金卡借錢玩股賠百萬

我一直都想要賺更多的錢,讓家人過得更好,也希望行有餘力,可以幫助泰國的媽媽和哥哥姊姊。

為多賺錢,賣魚缸、花生糖、泰國菜、按摩全試過

除了工廠的工作,我試過很多賺錢的方法。曾經在泰國看到桌子魚缸,特別飛去泰國買一個,拆解之後、做好筆記,回到台灣訂了相關材料,組裝出來,一個放自己家,也幫芳玉大哥做了一個,但後來擔心沒有市場,就不了了之。

我也去學做宜蘭有名的花生糖、泰國菜、考泰式按摩執照,也真的開了按摩店,在羅東的和平路,名字叫「泰好」,很多人很喜歡讓我按,還貼文上PTT,但做生意賺錢真的不容易,後來沒賺沒賠就收掉了。

319槍擊案賠100萬，變賣金飾、解約保單才撐過

大概十多年前，朋友介紹我「股票」這個東西，我拿了小錢去試，覺得很神奇，只要看對方向就能賺錢。我開始對股票懷抱很大的夢想，那時候膽子很大、很瘋狂，什麼都不懂，就用當時很流行的「現金卡」去借錢，還用信用貸款，甚至叫芳玉的媽媽投資，湊了近100多萬元，來玩股票和期貨。

參加過幾個投顧老師會員，好幾次都被當成「出貨」的對象；也玩過期貨，有超額損失，盤後要急著補錢。最後在2004年的319槍擊案，選前我用融資去買，選後連續重挫被斷頭，最後100多萬元全部賠光。

生活已經不充裕，更苦的是還要擠出錢還債，現金卡年息要18%，我一直拚命加班賺錢，賺多少也不夠還。有一段時間，小朋友生病看醫生都是先欠卡的，因為健保費繳不出來，健保卡已經失效；真的軋不過來，就變賣小孩的滿月金飾，還叫芳玉把2張快滿期、每年可領2萬元的保險中途解約，拿回一點錢，勉強把生活撐下去。

債務總算還清，身體卻出狀況

一直到2010年，我總算還完債，心想生活總算可以稍微好一點，但身體卻出了狀況。脊椎莫名劇痛，讓我完全不能平躺，晚上只能坐著睡覺，連續1～2個月，看了很多中西醫，做了多樣的檢查，都說沒有大問題；有一個醫生說我是胃食道逆流影響，但我的胃和食道並沒有灼熱感，很奇怪，醫生給我吃胃藥，卻沒有什麼改善。

連續這樣痛，我根本沒辦法再工作，只好先辭職。那時女兒一個9歲、一個7歲，老婆很擔心，決定重新回到職場，於是接受政府的職業訓練、考到證照，做「居家服務員」；這是政府的美意，依個案需要服務的項目服務，但有的個案會認為花了錢，就希望服務員能多做點，心軟的服務員就會幫忙，所以芳玉自嘲像「幫傭」，她每天回家都累趴了，一個月也只領2萬5,000元。

那時我的背甚至經常半夜痛到沒命，只能把老婆叫醒陪我上醫院掛急診，她晚上沒什麼睡，白天還要再去上班，等於是日夜煎熬。

一般人聽到醫生說身體沒什麼問題會很開心，但我卻想身體痛得那麼厲害，醫生還檢查不出來，恐怕是沒希望了。因為覺得身體好像不會康復了，常常有喘不過氣的感覺；想到自己好不容易來到台灣，還沒讓老婆孩子過上好日子，就要離開人世，真的太遺憾！所以常常在心理脆弱的時候，向芳玉道別；我跟她說，希望今生的遺憾，可以來生補償她。

記得有次在過年的時候，因為我的病痛，家裡完全沒有過年的歡樂氣氛，我還很悲傷地對她說出喪氣話，說我可能撐不到明年了，芳玉聽了，眼淚簌簌地往下掉個不停，全家愁雲慘霧。

1-6 因背痛辭職 拿8萬重回股市

在背痛之前,因為我老婆要照顧她的父親,全家已搬回娘家住。所以我辭職後,白天是住在老婆娘家裡,不僅要擔心她家人對我異樣的眼光,也心疼老婆真的辛苦,心真的很慌。

因為沒事做,我又開始看盤,幻想如果學會在股市賺錢的功夫,就不需要靠身體勞動;於是我跟太太商量想重回股市,她不敢給我太多錢,怕再賠光,只肯拿出5萬元,加上我的離職津貼3萬元,我拿著這8萬元本錢,回到以前下單的營業員——富邦證券蕭鈴香小姐那裡,說我想再買股票。記得那時是2010年的9月。

沒有輸的本錢,決心靠權證以小搏大

蕭鈴香小姐對我很好,她知道我情況很不好,對我說:

「我是不叫人家玩權證的，這種我可以拿的佣金很少，而且風險高；但是你只有一點點錢，可以試試看。」於是，我有幾個下午收盤後就去她辦公室裡，她會教我一些權證的基本知識。

回家後我自己試，因為我知道權證有時間價值，買進不能放長，加上我沒有輸的本錢，看到權證價格波動很大會怕，所以我都是買了之後隔天就跑。

曾經有一天賠掉幾萬元，看到辛苦工作一整天，回家動彈不得的太太，想到賠掉的是她1個月薪水，心裡很難受。我下定決心，一定要在股票市場好好努力，很神奇的是，只要一開盤，我就會專注看盤、忘了背痛。現在回想起來，覺得那場病是我人生的轉機。

第 5 個月開始賺錢，2011 年賺約 80 萬

記得前3個月的操作我沒賺到錢，但也沒有賠錢，到第4個月有了小小獲利幾千元，第5個月我就開始賺錢了，那個月賺到15萬元。我開始覺得權證很神奇，它和做股票一樣，要選

對股、看對方向，獲利速度比股票還快很多，多空都可做。

但是，做權證的獲利波動很大，記得我賺到50萬～60萬元時，很開心，想回泰國去看家人，帶他們享受一下，就訂了機票；隔了3個星期，到我上飛機前一天，獲利縮水只剩20多萬元，心情大受影響。

2011年，台股（加權指數）跌了21%，但我算一算年度獲利有80萬～90萬元，比以前做電焊工的收入還高。於是我叫太太辭掉工作，不要再賺辛苦錢，但她不放心，擔心我會賠回去，還經常盯著我操作。

靠投資賺進穩定收入，妻子也放心辭職

到了2012年，我太太終於放心辭掉工作，那年台股受證所稅紛擾，身邊做股票的朋友賠得慘兮兮，但我還是賺到接近100萬元，不但可以養家，還買了生平第一台車；我有信心往後都可以靠著交易應付我生活所需。

在2012年底，泰國的小姊姊突然生重病，重燃我對大筆

金錢的渴望。小姊姊只大我4歲，在兄弟姊妹間我們倆感情最好，因為年紀最接近，我年輕時在曼谷就是跟她一起住。

她到醫院一檢查就發現是胃腫瘤（胃癌）末期，那時她不過45歲，泰國沒有全民健保，她每次住院就要泰銖好幾千元的費用，化療一次則要泰銖1萬8,000元。雖然醫生說她只剩6個月的生命，我還是希望有轉機，一知道她的病情，就趕回去泰國陪伴她將近1個月。

那時候，心裡急著多賺點錢幫助她治療，但操作卻是一路賠錢。後來，小姊姊決定放棄治療，回到家忍受病痛折磨，沒多久就過世了，那時我想再回泰國看她，卻來不及了。這件事是我這輩子很大的遺憾，也覺得金錢真的很重要。

1-7 2013年大豐收 1年賺600萬

2013年是我豐收的一年。因為台股在這年的趨勢明顯，波動幅度也變大，而且我手上資金累積較多了，如果買進權證跌到我的成本時，我還有錢可以買進另一邊的權證來鎖住風險，這招我叫「防單」。

有了這招，我的獲利變穩定，不容易大賠；因為我看對了會加碼、看錯了就買另一邊停掉，所以我2013年獲利逾600萬元，平均月賺超過50萬元。

單日最高賺進 56 萬，讓我換新車又買透天厝

2013年成績最好的是8月和11月，各賺進134萬元及153萬元，因為這2個月有趨勢出來就很好做。印象最深刻的是11月5日，我一天賺進56萬元，又創單日新高，老婆和她家

人就起閧要我請客了,我也很開心帶大家出去吃大餐。

8月我把原來用50萬元買的小房車賣掉,又換了一台120萬元、2,500c.c.的油電混合車;11月賺的錢,我拿來付頭期款,在三星鄉買了一間透天厝。那年6月,台股跌得很慘(指數月報酬率-2.33%,詳見圖1❶),但我還是獲利26萬元。

連賺 19 個月後遇上賠錢,體會心情真的會影響交易

算一算,我從2012年8月之後到2014年2月之間,沒有一個月賠錢;我一直深信之後每個月我都可以靠這個方法賺到錢。當然不能保證每筆交易都賺,但就如市場知名的權證贏家權證小哥說的:「100戰60勝,就會是永遠的贏家」。只是賺多少不能事先預測,因為要看市場的波動如何,盤整盤就可能賺得少,波動大時賺得多。

2014年我1、2月獲利還不錯,1月賺98萬元,2月賺120萬元,但3月份受到心情影響,操作大賠80萬元,這算是我從2012年8月起連賺19個月之後第1個月賠錢,而且不是小

圖1 靠權證多空都能獲利，台股跌慘我照賺
——2013年來卜松波月獲利與台股加權指數比較

❶2013年	1月	2月	3月	4月	5月	6月
月獲利（萬元）	30.7	10.5	42.0	69.5	21.0	26.0
指數月報酬率（%）	1.95	0.61	0.26	2.21	1.99	-2.33

❷2013年	7月	8月	9月	10月	11月	12月
月獲利（萬元）	42.0	134.0	15.5	31.7	153.0	45.0
指數月報酬率（%）	0.57	-1.06	1.89	3.38	-0.51	2.43

❸2014年	1月	2月	3月	4月	5月	6月
月獲利（萬元）	98.0	120.0	-80.0	0	40.0	90.0
指數月報酬率（%）	-1.73	2.09	2.43	-0.65	3.24	3.49

❹2014年	7月	8月	9月	10月		
月獲利（萬元）	30.0	40.0	-60.0	13.0		
指數月報酬率（%）	-0.8	1.29	-4.9	0.08		

註：以上獲利數字不包含退佣
資料來源：卜松波、XQ全球贏家　整理：陳淑泰

賠，是大賠，月中最差時，差點把2月賺的錢吐光，讓我的自信心一度大為動搖。

我自己檢討3月會大賠錢，可能有兩件事影響。一是因為在《Smart智富》月刊報導我的故事之後，大概有幾十個人找到富邦證券的蕭鈴香小姐，想跟她打聽我的聯給方式，來向我學權證；也有很多人透過臉書或是我現在的營業員，跑到我家來找我，聽雜誌社說，還有一個人照著雜誌上我家的照片，開車在宜蘭繞了好幾天，想找到我家；最後他放棄，還是到富邦證券找了蕭小姐。

其中一些人的際遇的確很值得同情，有一個人每天從台北開車來宜蘭，連續來了2個星期，但他沒學到什麼，連跟單都來不及。還有一家三口、爸媽陪著女兒一起來學的，我都沒有收費、還供應午餐；看他們沒什麼心得或領悟，我也不好意思叫他們不要再來。這些學生會在盤中交易時間一直問我問題，影響我觀察選股，有賺錢的時候還好，但賠錢時，心裡就會覺得煩。

第2個賠錢原因，是我家裡有事。因為我1、2月獲利成績

很不錯，就寄一筆錢回泰國，希望老舊的家可以重新改造。但是媽媽和小哥哥捨不得拆掉舊房子，小哥哥就決定只拆部分主體遷移，後來覺得不妥，又改回原來的樣子，這樣沒做什麼就已經花一筆錢，讓我很不以為然又生氣，而且在拆遷的過程中，媽媽怕沒地方住，開始腰痛，嚴重時還起不了床，讓我很掛念。

心情很煩的時候就會亂做，沒有遵守原有的紀律，不應該買時還是出手，一買就賠錢；連續賠錢會影響信心，會出現自我懷疑的時候。直到4月份我趁潑水節回去泰國探望媽媽之後，心情重新回復平靜，那個月我就損益兩平，沒賺也沒賠。心情真的會影響到交易成績。

Note

1-8 投資不到4年 累計獲利逾千萬

2014年5月我獲利40萬元，6月獲利100萬元，所以累計下來，我從2010年9月進場操作，到2014年6月，不到4年的時間，獲利金額正式邁入1,000萬元大關。

靠權證賺錢揚眉吐氣，生活不是太享受但捨得花

不過我所有的生活開銷、買房子，都從我的交易獲利而來，所以我現在（2014年11月）大概就用300萬～400萬元在操作。我的生活不算是太「享受」，但我很捨得花錢，我會在連續兩年換車，也會買1雙4,000元的球鞋，更是常帶家人吃大餐或出國。

世上最偉大的投機者之一，安德烈‧科斯托蘭尼（André Kostolany）說過：「許多人需要錢不是為了占有，是為了炫

耀。」我很認同這句話。記得那時候決定參加《Smart智富》月刊權證達人競賽時，我老婆一度阻止我說：為了5萬元獎金，還要在媒體上拋頭露臉，不太好吧？

炫耀不是我的本性，是我在台灣20多年來，不斷被瞧不起的反撲。在我們還沒搬到三星鄉的新家、還住太太娘家時，我們夫妻沒有外出工作，隔壁的村長叔叔，每次看到芳玉就會很關心地問，「妳現在在哪上班？妳老公有去上班嗎？」即使他

翁挺耀攝

▲收盤後拉拉二胡、學新的事物，4點去接女兒回家，這是我現在的生活。

聽到媳婦說我靠交易權證賺進不少錢,他依然覺得有工作比較好。

投資是不老的事業,沒有時間、地點、年齡限制

我很喜歡現在這個「工作」,因為沒有時間、地點、年齡的限制,收盤後,我會去跑跑步、讓自己放鬆,或去學一些新東西,比如說上二胡的課;下午4點到了,就去接女兒下課。

就算回泰國老家時,也可以透過網路交易下單,甚至感覺手氣更順;所以我回泰國待1、2個月,照樣可以賺錢。以前還在用身體去拚命時,很怕哪一天老了、生病就完蛋了,但在這個市場沒有年齡限制,哪怕是60、70歲以上也可以做,是不老的事業。

現在的我,不必為錢所困,可以照顧台灣、泰國兩地的家人,最重要的是,讓我的太太能夠以嫁給我為榮,證明她當初的選擇是對的;行有餘力,我還想幫助很多曾經對生活失望的人。

✏️ **N**ote

2

簡單易學的獲利方程式

2-1 方法不用多
一套能賺錢就夠

　　我覺得投資的唯一目的就是賺錢。在我的投資操作上，我喜歡簡單、單純的世界。我常常在想，大家進來這個市場，唯一想要的結果應該就是賺錢，操作上重點應該只有一個，就是賺錢。

　　但常看到很多投資人，總喜歡把原本清晰透澈的池子弄得很混濁，他們總是很喜歡分析市場、研究市場；有一些人經常把市場分析得頭頭是道，喜歡在趨勢、股價行情的未來走勢上著墨心血、去預測，然而股價卻沒有依照他想的方向走，最後沒有賺到錢不說，反而賠了本錢。

　　所以我認為，投資人要做的事，就是學會一種簡單的賺錢方法，專注在這方法上面去操作就好。我的方法只靠簡單來回交易買賣，就能輕鬆快樂地賺錢，至於複雜的市場動向預測和產

業分析研究，留給專家去做就可以了。

利用簡單技術分析找波動股，買權證賺價差

我從出生到21歲之前都在泰國，大學只念了1年的通信系，來台灣後才開始學中文；來台灣後的工作主要都是在工廠，算是藍領階級，沒有待過科技公司，也沒管道可以接觸傳統產業，所以我的求學和就業背景，對我的投資並沒有什麼幫助，我對台灣的產業結構幾乎可以說完全不了解。

當然，因為沒有學過財務，我也不會看財務報表，所以很難用市場上流行的財報、基本面選股的方法，來尋找投資標的；我也沒有充足的知識去判斷消息面的題材對股價到底影響如何，所以如何判斷一檔股票的價值、低買高賣這套，我也不會。

因為工廠收入有限，為了想讓家人過好生活，我才開始接觸和投資相關、一些講「投資」或「投機」基本概念的書，例如安德烈‧科斯托蘭尼《一個投機者的告白》、胡立陽的《股票投資100招》、蘇松泙《平民股神教你不蝕本投資術》、

權證小哥《權證小哥教你十萬元變千萬》等等。我發現也有一些人，是不需要了解股票的基本面或是財報，只是單純地透過「交易」就能賺錢，他們透過不斷地買賣，來嘗試、修正出一套可以賺錢的方法。

而我獨創的賺錢方法，也是我來回交易經驗的累積。簡單地說，這套賺錢的方法，主要是利用2種簡單的技術分析型態，找到波動中的股票，然後利用高槓桿的權證，賺取波動期間的價差。如果靠基本面選股的人，可能要花很多時間去研究個股財報、產業趨勢，還要隨時注意消息面變化，要做很多功課，但我不需要花很長的時間和精力在這上面。

✏️ **Note**

2-2 盤前半小時 2條件挑出波動股

　　我賺錢的方法，可以先簡單拆解成5個步驟，我會在2-2～2-6分別敍述。本章先來說第1個步驟：用2種簡單的技術型態，找出即將波動或是波動中的股票，也就是「選股」的部分。

　　有人說，會買股票的不一定會買權證，但會買權證的一定懂股票；是因為權證的走勢與股票密切相關。選到對的股票，你才可能用權證賺到錢，如果沒有選對股票，你再會挑權證也是徒然。所以挑到對的股票，是用權證賺錢的第1步。

每日開盤前半小時，瀏覽有發行權證的全部個股

　　我的盤前選股功課，大概只要早上開盤前半個小時就夠了。我會瀏覽全部有發行權證的個股，打開它的日K線圖，看

看是否出現以下2種條件：

◎條件1：布林軌道「上軌線」和「下軌線」已經明顯收縮，有機會出現第1根帶量變盤訊號的股票

◎條件2：有機會在今天創新高或創新低的股票

這個動作並不難，你只要點進去第1檔的個股日K線圖，看完後按鍵盤上的「Page Down」（下一頁）鍵，就可以切換到下一檔個股的日K線圖，挑出具備以上2個條件的股票時，就把個股和相關權證放到自選名單裡，所以不需要花很長的時間，就可以完成「盤前功課」。

列出個股名單，讓我在盤中可以隨時觀察走勢；先列出相關權證，是因為你在相中一檔個股時，必須在很短的時間裡要挑出權證並下單，所以我在做盤前功課時，會順便把權證也挑出來，列在該檔標的股票的下面，這樣可以節省盤中挑選權證的時間。

因為我的槓桿工具是權證，所以我挑個股時，只找有權證的

股票下手。在我下單的富邦、統一、凱基等券商提供的免費看盤軟體，都可以找到所有「得為權證發行標的股票」（詳見名詞解釋），這個是台灣證券交易所和櫃檯買賣中心每一季依條件篩選出的個股名單，個股名單每一季會有些微的調整；上市加上櫃大概250檔～300檔左右。

每天挑出 10 ～ 20 檔，以中小型、市場熱門股為主

「得為權證發行標的股票」，也就是有權證發行的個股，依照證交所和櫃買中心的規定，必須是沒有虧損的、流動性達到一定標準的，等於是交易所預先幫你過濾篩選過的。

名詞解釋：得為權證發行標的股票

台灣證交所和櫃買中心每季會公告「得為權證發行標的股票」名單，須符合上市公司市值達 100 億元、上櫃公司達 40 億元，最近 3 個月流動量達 20%（上櫃 10%）或 1 億股（上櫃 3,000 萬股），公司無虧損或累計虧損等條件。若欲查詢可發行權證的股票，可至台灣證交所及櫃買中心網站查詢。

◎證交所：mops.twse.com.tw/mops/web/t111sb01
◎櫃買中心：www.otc.org.tw/web/extend/warrant/warrant_info_04.
　php?=zh-tw

　　我每天開盤前挑出來的檔數不會太多，通常是10檔到20幾檔。我經常做的股票則約50檔～60檔左右，通常會入選的是中小型股和市場熱門股，因為這些股票的股價波動比較大，像權值股如台積電（2330）、金融股等等股本比較大的股票，我就比較少做，因為它們單日大漲或大跌的機率比較低。

　　寫到這裡，投資人一定會問，什麼是「布林軌道」？在哪裡可以找到？我又是如何體會到用這2種條件來挑選權證標的股票的勝率會高？買布林軌道收縮和創新高股的來源及基礎理論為何？這個很重要，我們在第2篇先將我的方法說完，再用第3篇整個章節，來仔細討論有關布林軌道的幾個問題。

■ 2014年第4季可發行權證標的證券共209檔

以 2014 年台灣證交所於第 3 季公告、第 4 季可發行的認
購（售）權證（含牛熊證）標的證券共 209 檔標的，表列
如下：

2014年第4季所有發行人可發行標的共181檔

股票代號	公司名稱	股票代號	公司名稱	股票代號	公司名稱
1101	台 泥	1210	大 成	1216	統 一
1303	南 亞	1312	國 喬	1314	中石化
1319	東 陽	1337	F-再生	1402	遠東新
1476	儒 鴻	1477	聚 陽	1504	東 元
1507	永 大	1536	和 大	1560	中 砂
1589	F-永冠	1590	F-亞德	1605	華 新
1702	南 僑	1707	葡萄王	1711	永 光
1736	喬 山	1909	榮 成	2002	中 鋼
2027	大成鋼	2049	上 銀	2059	川 湖
2105	正 新	2106	建 大	2107	厚 生
2206	三 陽	2231	為 升	2303	聯 電
2308	台達電	2311	日月光	2312	金 寶
2313	華 通	2317	鴻 海	2324	仁 寶
2325	矽 品	2327	國 巨	2329	華 泰
2330	台積電	2331	精 英	2332	友 訊
2344	華邦電	2352	佳世達	2353	宏 碁
2354	鴻 準	2355	敬 鵬	2356	英業達
2357	華 碩	2360	致 茂	2371	大 同
2376	技 嘉	2377	微 星	2379	瑞 昱
2382	廣 達	2383	台光電	2392	正 崴
2393	億 光	2402	毅 嘉	2408	南亞科

股票代號	公司名稱	股票代號	公司名稱	股票代號	公司名稱
2409	友 達	2412	中華電	2439	美 律
2441	超 豐	2448	晶 電	2449	京元電
2450	神 腦	2454	聯發科	2458	義 隆
2474	可 成	2475	華 映	2498	宏達電
2499	東 貝	2520	冠 德	2542	興富發
2548	華 固	2603	長 榮	2615	萬 海
2618	長榮航	2801	彰 銀	2809	京城銀
2812	台中銀	2823	中 壽	2834	臺企銀
2847	大眾銀	2880	華南金	2881	富邦金
2882	國泰金	2883	開發金	2884	玉山金
2885	元大金	2886	兆豐金	2887	台新金
2888	新光金	2890	永豐金	2891	中信金
2892	第一金	2913	農 林	3006	晶豪科
3008	大立光	3019	亞 光	3022	威強電
3030	德 律	3034	聯 詠	3035	智 原
3036	文 曄	3037	欣 興	3042	晶 技
3044	健 鼎	3059	華晶科	3060	銘 異
3189	景 碩	3231	緯 創	3376	新日興
3406	玉晶光	3443	創 意	3474	華亞科
3481	群 創	3514	昱 晶	3533	嘉 澤
3576	新日光	3665	F-貿聯	3673	F - TPK
3682	亞太電	3698	隆 達	3702	大聯大
3706	神 達	4137	F-麗豐	4532	瑞 智
4733	上 緯	4915	致 伸	4938	和 碩
4958	F-臻鼎	4960	奇美材	4994	傳 奇
5264	F-鎧勝	5280	F-敦泰	5388	中 磊
5534	長 虹	5871	F-中租	5880	合庫金
5907	F-大洋	6116	彩 晶	6153	嘉聯益

續接下頁

股票代號	公司名稱	股票代號	公司名稱	股票代號	公司名稱
6166	凌 華	6176	瑞 儀	6202	盛 群
6206	飛 捷	6214	精 誠	6239	力 成
6257	矽 格	6269	台 郡	6271	同欣電
6278	台表科	6282	康 舒	6285	啟 碁
6286	立 錡	6409	旭 隼	6414	樺 漢
6415	F-矽力	6605	帝 寶	8046	南 電
8114	振樺電	8213	志 超	8215	明基材
9103	美德醫	910482	聖馬丁	910801	金衛醫療
911611	中國泰山	911612	滬安電力	9136	巨 騰
9904	寶 成	9907	統一實	9914	美利達
9937	全 國	9938	百 和	9939	宏 全
9945	潤泰新				

2014年第4季A級發行人可發行標的共28檔

股票代號	公司名稱	股票代號	公司名稱	股票代號	公司名稱
1338	F-廣華	1340	F-勝悅	1513	中興電
1537	廣 隆	1582	信 錦	1715	萬 洲
1729	必 翔	2034	允 強	2228	劍 麟
2345	智 邦	2406	國 碩	2485	兆 赫
2929	F-淘帝	3005	神 基	3023	信 邦
3041	揚 智	3049	和 鑫	3561	昇陽科
3704	合勤控	4164	承業醫	4906	正 文
5269	祥 碩	5305	敦 南	5434	崇 越
5471	松 翰	8016	矽 創	8039	台 虹
8429	F-金麗				

註：1.A級發行人係台灣證交所依照各券商的每一季市占率規模及造市品質等指標進行評分，由大至小依序排列分
為A、B、C等3種等級，A級及B級各取5家發行人，其餘為C級發行人
2. 有效期間為 2014 年 10 月 01 日至 12 月 31 日
資料來源：證交所　　整理：陳淑泰

Note

2-3 跟著大單方向
快速抓到進場點

9點開盤後，我會先觀察被我列入自選股的股票，看看它們的成交狀況，如果這些股票當天出現有較過去還明顯的成交量，我就會跟著大單的方向，先買進第1筆「試單」。

盤中出現不平常單量，買進第 1 筆試單

有的人會問，每檔股票的股本不一樣、周轉率不同，要如何判斷到達多少才算大單？這很難量化，但我會說，可以觀察在還沒漲跌的時候量是多少，等到有不平常的單量，就可以試著買進；所以當日個股盤中的交易量，是決定我會不會買進很重要的關鍵。

這一點和我平常看的一些交易書很類似，有些大師都會強調「量先價行」、「有量才有價」，這很像是「動能投資」

（詳見註1）的概念。

運用看盤軟體，設定大單即時通知訊息

在一般券商的看盤軟體裡，當你列出觀察的自選股中，某一檔股票有大單成交時，個股報價資訊這一列會跳出特別的底色，所以我會觀察這些不斷跳動的色列，看是不是哪一檔個股出現單筆大單了。

除了看股票列的顏色之外，投資人也可以在自己的電腦裡設定「即時通知訊息」，當單一個股出現單筆大單時，看盤系統就會有即時訊息跳出來通知你。以我用的凱基證券全球理財王看盤軟體為例，設定步驟如下：

步驟1：拉出個股選單，找到「警示設定」（詳見下頁圖）

註1：動能投資，常用於股票、期貨之交易操作，主要尋找上漲力道最強，而且是市場最熱門的標的。這類投資方法並不重視價格和內在價值等因素，而是關注上升衝力，因此通常會假設當股價向上突破某一個平均價位（即壓力線）時即應買進，且預設強者會恆強，因此操作上要採追強汰弱。

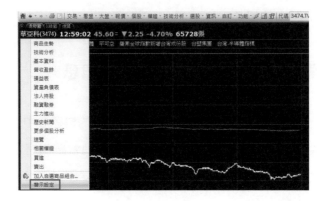

步驟2：從欄位設定中找到「單量」（單筆成交張數），選擇「大於」「100」（你想設定的張數）

步驟3：選擇你想要的警示鈴聲，完成（詳見下圖）

　　像我在電腦裡就設定聯發科（2454）單筆出現150張時，宏達電（2498）、可成（2474）、F-中租（5871）、東陽（1319）、統一（1216）、台塑（1301）等股票單筆出現200張時，要即時通知我。因為依照我的經驗，這幾檔股票單筆出現200張大買單或大賣單時，就是大戶開始動作了，我就會跟著跳進去買。

2-4 看多買認購權證 看空買認售權證

選定一檔個股後,我會開始買權證,怎麼買呢?

◎買法1:布林線收縮後,盤中股價帶量往上走,買認購權證

◎買法2:布林線收縮後,盤中股價放量往下走,買認售權證

◎買法3:盤中創新高、或即將創新高的股票,股價又帶量往
　　　　上走,買認購權證

◎買法4:盤中創新低、或即將創新低的股票,股價又放量往
　　　　下走,買認售權證

寫到這裡,有些人會問,什麼是「認購權證」與「認售權
證」。這是最常見也最基礎的權證形式,「認購權證」的英

文是：Call Warrant，依照台灣證交所的解釋，認購權證，是「買權」，發行人發行一定數量、具特定條件的一種有價證券，是一種權利契約。投資人於付出權利金取得該有價證券後，有權利（而非義務）在未來某特定日期（或未來某段時間內），按事先約定的價格（履約價格）向發行人買進一定數量的特定標的證券，且權證本身於掛牌後，可在集中市場按交易價格買賣。

「認售權證」的英文是：Put Warrant，即「賣權」，發行人發行一定數量、具特定條件的一種有價證券，是一種權利契約。投資人於付出權利金持有該有價證券後，有權利（而非義務）在未來某特定日期（或未來某段時間內），以預先約定的價格（履約價格）向發行人賣出一定數量的特定標的證券，且權證本身於掛牌後，可在集中市場按交易價格買賣。

所以當你看多一檔股票時，買進認購權證，因為它的漲跌方向跟標的股票漲跌方向是一致的，標的股票上漲，認購權證價格就會漲，理論上，上漲幅度是：標的股票漲幅×槓桿倍數；標的股票下跌，認購權證價格就會跌，理論上，下跌幅度是：標的股票跌幅×槓桿倍數。

當你看空一檔股票時，就買認售權證，它的走勢與標的股票是相反的，標的股票上漲，認售權證價格就會跌，理論上，下跌幅度是：標的股票上漲幅度×槓桿倍數；標的股票下跌，認售權證價格就會漲，理論上，上漲幅度是：標的股票下跌幅度×槓桿倍數。

為什麼我在前面兩段都加上「理論上」這3個字？因為在實務上，影響權證漲跌幅度的原因有很多很多，所以挑選權證有很多眉眉角角，市場知名的權證贏家──權證小哥，就是我認為很能精挑權證的專家，他選權證的方法很仔細、條件很多，非常專業，必須要很認真才能學會，否則不容易搞懂。

決定速度要快，用 6 條件挑定權證

但對我來說，我只是利用權證的槓桿優勢，而且通常隔天就賣出，加上決定的速度要快，所以看的條件不能太多，也來不及做複雜的計算，所以我主要只看6個條件：

◎條件1：槓桿倍數愈大愈好
因為我們就是要利用權證的槓桿優勢。

◎條件2：看委買、賣價差，檔數（tickers）差愈少愈好

這樣被吃掉的價差成本比較低。

◎條件3：發行商掛單量充足

代表流動性會好，比較容易賣出。

◎條件4：權證每股價格最好高於1元

因為換算的價差成本比較低。

◎條件5：價內、外不超過10%

因為這樣的權證跟現股的連動性比較好。

◎條件6：距最後交易日不要低於2天

這樣你才有機會在明、後天的市場上賣出。

我為什麼用這些條件來選權證？買賣權證又有哪些應該注意的事項？因為權證是多數投資人比較陌生的工具，學問很多，所以我們會在第4篇裡，專篇詳細解説權證這個工具，及我看前述6個條件的理由。

2-5 看對方向加碼
看錯方向反手鎖單

　　在權證市場上，單筆交易賠錢是常有的事，但就如很多大師說，交易100次，假如對51次、錯49次，假設每一次輸贏的金額相同，總的結算下來還是會贏錢。若再加上另外一個原則——「看對加碼、看錯減碼」，這樣你會賺更多。

　　通常我下第1筆單大約用1/3的資金，比如說我買同一檔標的股票的權證不會超過100萬元，所以我第1筆單子通常會用約20萬元或30萬元試試看。

　　如果在買進A股票的權證後，A股的股價又一波波帶量往上漲（或往下跌），我會加碼買進認購（售）權證。買對加碼，是很多大師都強調的，有「乘勝追擊」的味道。比如說我第1筆是買30萬元，接下來第2筆我可能又加碼20萬元或30萬元，如果A股票再帶量往上，我可能會買到第3筆。

出現 3% ～ 5% 虧損，即買進反向權證鎖住損失

反之，如果買進後，權證卻跌破我買進的成本價，代表這筆交易看錯了，因為權證不能當沖（詳見註1），所以我會買另一邊做「防單」或稱「鎖單」，減少我的損失，這就是一種「看錯減碼」，也就是看錯立刻出場、認錯停損，不必再跟錯誤的交易拗下去，留得本錢在，明日等待下一次的機會。

我再解釋一下「鎖單」的意思，就是買反向的權證，讓自己的損失被控制住。因為權證的波動實在太大了，但不能當日沖銷、看不對馬上賣出。

買反向的權證，就比如說我原本是看A股票會持續上漲，因此買A股的認購權證，但A股票卻在午盤時跌下來，此時要注

註1：至本書截稿日為止，台灣的權證無法做當日沖銷，T日買進權證必須T＋1日才能賣出。主要是考量權證的撮合是採集合競價、逐筆撮合，買、賣單一輸入後只要符合條件馬上就成交，但在現股市場是每10秒鐘撮合1次（原為15秒，台灣證券交易所自2014年2月24日起修正為10秒，並預計在2014年12月29日縮短至5秒）；因投資人買進權證後，發行商必須去現股市場買股票來避險，兩者撮合時間的差異，造成發行商避險不易、成本增加，因此發行商遲未同意開放權證當沖。

意該筆交易的損益，如果開始出現3%～5%的負報酬率，我就
買A股的認售權證，來讓我的損失不會擴大；或是説我看B股
票帶量下跌，我認為B股票會持續下跌，於是買B股票的認售
權證，但B股票卻又在之後往上漲、沒有如預期地下跌，那麼
我會買B股票的認購權證，來鎖住我的損失。

　　我開始用這招，大概是從2013年4月起，是我用8萬元
當本錢做權證滿2年半；主要是這時候我手上的資金比較充
裕了，大約有超過200萬元的本金在操作，我開始徹底執行
「鎖單」，只要看錯方向，就是買進的標的不再繼續往預期方
向走，我一定會趕快買反方向的權證鎖住風險。

　　這樣也就等於是現股當沖、當軋的概念，主要是因為台灣權
證還沒有開放當沖，不像融資買進股票後如果看狀況不對，還
能馬上融券放空、軋平部位。

利用鎖單免大賠，但有獲利時不鎖單

　　舉一個我在2013年7月30日先買宏達電（2498）認售權
證、再買認購權證鎖單的實例來看（詳見圖1）。

　　當天宏達電以平盤168.5元開出，一早就賣壓湧現，該股跌到167.5元，我本來認為很有可能在當天再創歷史新低價，進場買了40萬元的認售權證；但現股隨即又有大單進場，股價很快上衝到171元，於是我進場買認購權證鎖單，先買了20萬元，但宏達電續漲到173元，我認售權證帳面損失擴大，於是我又再加碼20萬元的認購權證。

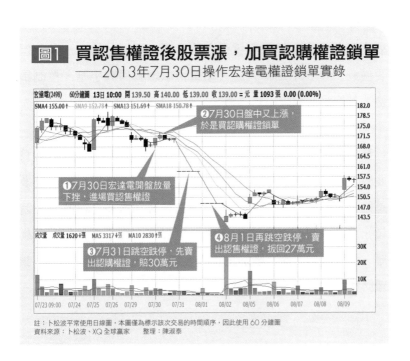

圖1　買認售權證後股票漲，加買認購權證鎖單
——2013年7月30日操作宏達電權證鎖單實錄

宏達電(2498)　60分鐘圖　13日 10:00　開 139.50　高 140.00　低 139.00　收 139.00 ＝元 量 1093 張　0.00 (0.00%)

SMA4 155.00↑　SMA9 152.78↑　SMA13 151.69↑　SMA18 150.78↑

❷7月30日盤中又上漲，於是買認購權證鎖單

❶7月30日宏達電開盤放量下挫，進場買認售權證

成交量　成交量 1620↑張　MA5 3317↑張　MA10 2830↑張

❸7月31日跳空跌停，先賣出認購權證，賠30萬元

❹8月1日再跳空跌停，賣出認售權證，扳回27萬元

註：卜松波平常使用日線圖，本圖僅為標示該次交易的時間順序，因此使用 60 分鐘圖
資料來源：卜松波、XQ 全球贏家　整理：陳淑泰

7月31日，宏達電跳空跌停，我先將認購權證部位出脫，損失近30萬元，報酬率-76%，因宏達電跌停鎖死，認售權證暫不賣出。8月1日，宏達電仍以跌停開出，我出脫認售權證部位，獲利27萬元。總結小賠3萬元，雖無獲利，但至少控制住風險。

也許讀者會問，你第1筆買宏達電認售權證的方向原本是對的，之後連續兩天跌停不就大賺了嗎？但如果宏達電之後是連續兩天漲停呢？那我不就是大賠了嗎？所以我的方法是不但要獲利，也要不賠掉大錢，鎖單可以讓我只有小賠、控制風險，若能維持大賺小賠的模式，長期下來就是賺錢。

至於鎖單，在賠多少錢時開始鎖？沒有絕對的對錯，我是只要有一點賠錢就會買反向鎖住虧損，但有一個跟我學的朋友是賠比較多時才鎖，甚至有人是當天獲利很多，怕吐回去時鎖，就是讓自己的利潤固定住。但我個人是不會在獲利時鎖單，這要看你怎麼判斷隔日走勢而定，有一點很確定的是，鎖單必須付出第2套交易成本。

Note

2-6 無論賺或賠
隔日一定結清出場

不管買進的部位是賺還是賠，我隔天早上一定盡量在9點5分～30分之間賣出權證，結清出場，這樣做有2個好處：

◎好處1：控制風險

因為標的股票接下來走勢無法掌控，權證是槓桿工具、漲跌幅度很大，多放1天讓你多賠30%是常有的事。

◎好處2：把資金移到更有效率的地方

賣掉後才有錢可買進別的標的，繼續尋找其他獲利機會。

為什麼在9點開盤到9點5分之間不賣權證？原因是證交所規定開盤前5分鐘，發行商可以不掛價，也就沒有造市的責任，此時的買盤通常都是散戶掛出的單子，價格較會偏離合理價格，所以9點5分之後賣的價格會比較好。投資人一定還會

關心，發行券商什麼時候不會掛單造市，我們在第4篇談權證時會再說明。

　有人會問我，如果手上的權證在一開盤時就先走跌，是不是要留著，看之後是否有機會往上漲？或是開盤後權證漲，有沒有可能再往上漲更多，所以不要賣出？

　個股的走勢變化情況很多，依照我的習慣，不管開盤後是漲是跌，我都還是會先將權證賣出，如果同時持有認購、認售的部位，也會同時賣出，因為我膽子小，如果權證愈跌愈多，我賠的錢更多，用一個單一的準則來操作，比較保險；而且依我觀察，個股開高走低的機率通常比開低走高的機率大，所以以我們通常持有認購權證多於認售權證來說，早盤賣的價格比較好。

隔日跳空漲跌停才可能多放 1 天，但遇長假照賣

　不過有一種特殊的情況，我可能會考慮續抱權證，就是買進認購權證後，標的股隔日開盤跳空漲停；或是買認售權證，標的股票隔天跳空跌停時，我可能會多放1天，就像2-5宏達電

鎖單的例子，我的認售權證在隔天標的股跌停時不賣出。

但這種情況若是遇到長假前，或是該標的股票過去鮮少出現連續2根漲（跌）停時，我還是會先賣出。例如我在2013年11月14日（星期四）買進潤泰全（2915）的認購權證，15日（星期五）潤泰全開盤跳空漲停，一價鎖到底，但我還是決定賣出，因為接下來是假日，而且我看潤泰全股本不小、過去很少有連續2天漲停，所以推斷18日（星期一）再強漲的機率不高；果然潤泰全18日就開跌走低，終場跌了4%。

隔天若反向漲跌停鎖死，能賣還是要盡量賣

權證隔日賣出最怕的事情則是，認購（售）權證的標的股票隔天開盤跌停（或漲停）鎖死，你根本賣不出去，手上的部位可能馬上損失超過30%。

因為跌停時，發行商依規定也可以不掛單，所以這時候沒有來自發行商的買單，只有想撿便宜的買盤；有些人可能會認為這時候賣出的價格會不好、很低，想再等隔一天，但我個人通常看有買盤還是會殺出，能賣還是要盡量賣，有單就

趕快跑；因為依照我的經驗，通常股票第1根跳空跌停後，第2天還是會續跌、表現不好。記得有一次我小試身手買群聯（8299）的權證就遇到這種情況，買4萬元，殺出後只剩1萬8,000元，還好那筆買的金額不多。

其實買權證就是這樣，有時大賺、有時大賠，在來回交易之間，如果能賺的次數多、賠的次數少，總結還是賺。心理素質很重要，你要給自己很強的心理建設，相信你一定就是會賺，不要因為連續的賠錢，就不肯做交易。如何培養心理素質，我會在第5篇討論。

2-7 從風險角度 決定投入金額多寡

　　目前市場上已掛牌的認購、認售權證的數量，大約是8：2；而且認售權證的隱含波動率（詳見名詞解釋）通常較高，也就是賣得比較「貴」、槓桿倍數也比較低。

　　依照我鎖單的經驗發現，如果先買進認購權證部位後，若想再買認售權證來鎖住損失，買認售權證的金額通常必須多出買認購權證金額的1倍～2倍以上，才有機會打平。

名詞解釋：隱含波動率（隱波率）

是將市場上的權證價格代入權證理論價格模型，反推出來的波動率數值，代表權證投資人對該標的股未來波動程度的看法。這是影響權證價格的關鍵，隱波率高權證就貴；隱波率低權證就便宜。很多只談理論的權證教科書，會教投資人去買低隱波的權證；但在實務上，有些發行商會刻意發行低隱波的權證，引誘投資人上鉤，待投資人買進後再調降隱波，讓投資人買低賣更低。

比如說，假設今天我買聯發科的認購權證30萬元，權證的槓桿12倍，但發現做錯方向了，為了鎖單而買進的認售權證槓桿如果只有4倍，那麼我可能必須花90萬～100萬元去買認售權證，才能完全鎖住損失。

熱門股的認售權證多，較易做鎖單

因為我的錢就是幾百萬在操作，所以通常同一檔標的股票的權證我最多買100萬元，很少超過，除非這檔股票的認售權證很好買、很容易做「鎖單」。

像是可成（2474）、聯發科（2454）、宏達電（2498）、F-TPK宸鴻（3673）這類較熱門的股票，發行商發行的認售權證就很多，我買進的部位才會超過100萬元。

反之，如果一檔股票沒有認售權證可以買，我在買第1筆30萬元之後，也不會加碼，因為風險沒有辦法控管。所以我買一檔認購權證到底會買到多少，是視它的認售權證好不好買、容不容易讓我鎖單而定，也就是從風險考量我投入單一標的股的權證的買進量。

　　有些人會問我，如何仔細計算，買進認售權證的整體槓桿金額，與認購權證的買進金額相等呢？我數學不好，不懂如何去精算這個，盤中恐怕也沒那麼多時間，所以我都是先買了反向的部位之後，再看兩筆交易的「即時損益」，能不能夠Cover（補平），如果反向的部位不夠彌平損失，就再加碼反向部位。有時我的資金不夠，不一定能全部扳回來，那我就求不要賠太多就好。

Note

2-8 專心盯盤 還要膽子大、手腳快

前面2-2～2-6是我選波動股、買權證賺錢方法的拆解；這套方法算是只看量、價的波動來賺錢，不難學，最重要的是要「膽子大、手腳快」，而且一定要專心盯盤。

像我在開盤之後就不敢打瞌睡，就算大盤沒有量，指數沒有什麼漲跌，但個股之間漲跌的差異還是會很大，我仍然會持續尋找值得買的股票，維持自己隨時都在市場裡的狀態。

權證波動激烈，一做錯需即時鎖單

我不建議交易時間裡要上班的人來學我這套方法，因為權證是高槓桿的商品，個股稍有一點波動，權證的漲跌幅度就很大，如果做錯方向沒有趕快鎖單，隔天可能就會出現不小的損失。

　　2012年9月，有個朋友看到我操作還可以，叫他剛滿18歲的兒子來跟著我學操作，30萬元資金，1個月賺到10萬元；他很有信心地說，要20幾歲就退休。2013年暑假，我教當時才13歲的大女兒這套方法，5天後給她15萬元讓她自己做，1個半月獲利50%。

　　這個方法很容易學，但要克服很多心理上的障礙，比如說追創新高的股票，很多人就認為會追到高點，不敢買；也要拋開

翁挺耀攝

▲卜松波在交易時間裡都會專心看盤，也會用 Line 與朋友交換選股心得。

之前對個股或是個別公司的成見，不能考慮太多可能影響股價的因素，要把自己當成一張白紙；就像我女兒一樣，每一檔股票的名稱對她來說只是一個代號，是沒有意義的。

日本很有名的宅男股神B·N·F（詳見下方介紹）是我的偶

■ 日本新世代股神，7年身價暴漲萬倍

B·N·F（本名：小手川隆，1978年3月出生於千葉縣市川市），是日本新世代的股神。「B·N·F」為他在日本BBS站2ch發言所用的暱稱，取自美國華爾街知名投資人維克多·尼德霍夫（Victor Niederhoffer）的名字。

一夕暴紅，連銀行總裁也想請他管理資產

在2000年B·N·F還是東京某私立大學法學部三年級學生時，他便以打工賺來的160萬日圓作為本錢炒股。當同學正在為畢業後出路擔心時，B·N·F藉由網路時代來臨的優勢，在家利用電腦網路下單，投入股市2個月，他就賺了116萬日圓。藉著經驗的快速累積，1年後財產成長超過20倍，達到6,100萬日圓，但這只是他傳奇的起點。之後7年，他身價暴漲1萬倍以上，成為日本網路界無人不知的股神。

2005年12月8日瑞穗證券公司發生錯單事件，讓他因此賺進約20億日圓，也讓他一夕暴紅，被日本媒體稱為「J-Com男」。

像，我記得他有一句名言：「以前的知識不會讓你在股市致富，只會讓你僵硬。」講得很有道理，我很認同。比如說有人自認很會分析籌碼，看到單一個股雖然出現買進的訊號，但看外資法人還在賣超，他就不敢進場買認購權證做多，這樣就失去了賺錢機會。

日本軟體銀行（Softbank）的總裁孫正義曾經和他吃飯，委託他管理自己的資產，被婉拒。

不看財報數據，關注國際總體經濟消息
B·N·F 的交易手法屬於 day trading（當沖）的一種。他說自己從來不看單一公司的本益比（Price to Earning ratio）、股價淨值比（Price to Book ratio）這些數據，因為他從不長期持有某種股票。不過，他對產業接單、失業率統計等重要指標，及各國中央銀行的動向、大盤指數和期貨指數，外匯市場、商品期貨市場、以美國為首的海外股票市場相當留意。

因為獲利可觀，2008 年 10 月 B·N·F 用約 90 億日圓買入東京秋葉原車站前的「チョムチョム秋葉原」大廈。他除了買豪宅自住之外，沒有任何奢侈品。B·N·F 平時在個人專用的「交易房間」裡進行交易，他為了避免過飽造成注意力不集中，午餐常僅以泡麵果腹，並經常在百元商店購物。

2-9 拋開個股成見 嚴守5紀律順勢交易

遵守我這套交易方法的紀律很重要,我發現想跟我學的人,比較難克服以下5點:

◎紀律1:拋開傳統的投資教條

有人會怕買貴、被套在高檔,不敢出手;也有人和價值投資法混淆,認為股票要低買高賣才是對。

◎紀律2:隔天一定執行賣出

人性總是貪婪,有人會想賺更多,看賺錢就想續抱權證,以為明天還可以賺更多,很容易從賺錢變成賠。

◎紀律3:認輸做反向單

靠交易融口的人最容易犯的錯,就是看到手上部位出現損失,還堅信自己是對的,不願意買反向權證,控制住風險。

◎紀律4：只確認單一訊號就進場試單

有些人會把太多資訊加進來，比如看外資投信賣超，有障礙就不敢買，或是把基本面也考慮進去，就失去原則。

◎紀律5：持續交易、留在市場裡

有人在大盤沒行情時，或是連續輸錢時，就不想交易；但我認為平常就要不斷去試，沒行情頂多賠錢，有時候市場行情和你的獲利並不相關，只看不做就會錯過機會。

1秒就要做決定，想太多就會失準

我記得宏達電（2498）從1,300元跌下來時，跌到600元、300元、200元，很多人可能想，都腰斬再腰斬了，怎麼可能再跌？但當它的訊號出來，你還是應該做，像宏達電跌到200元之下，我還是做空買認售權證、照樣賺，我的印象裡單一標的股票我獲利最多的就是宏達電，這檔股票讓我獲利可能接近200萬元。

所以，訊號出來時就要確實執行，不要想太多；一個向我學這方法賺到錢的朋友，說了句名言，「你要在1秒之間做出決

定」，想太多就會失準了。

　　不過有時候我自己也會被一些迷思所限制，像是華亞科
（3474）這檔股票；我記得華亞科在30多元的時候，有一
次出現很明顯的上下軌線收縮後、帶量往上（詳見圖1），當
天我想：「從不到2元（1.97元）起漲的股票，難道漲到30

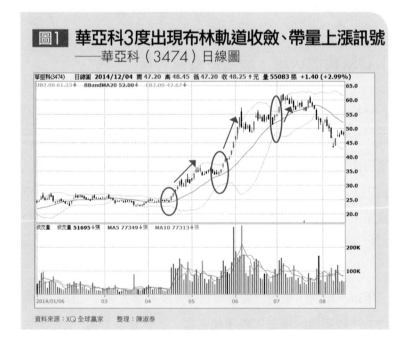

圖1　華亞科3度出現布林軌道收斂、帶量上漲訊號
　　　——華亞科（3474）日線圖

資料來源：XQ全球贏家　整理：陳淑泰

元了還要再去買嗎？」所以就沒有介入，結果華亞科那一波又一路漲到60多元。華亞科這波漲上去有好幾次做多的訊號出現，我在這檔股票卻沒賺過什麼錢，滿可惜的。

所以「捨棄成見，順勢交易」是很重要的。機會來臨就要勇於嘗試，好好把握，該買就買、該空就空，不要帶有特殊感情，也不要對個股帶有成見，操作永遠只能站在順勢方，與趨勢為友，與情緒為敵！

3

精準抓變盤＋飆股
一出手就賺

3-1 抓(變盤)》觀察布林軌道收斂 勝率達8成

　　前一篇談到「挑對股票、選好權證、做對加碼、做錯鎖單、隔日沖銷」是我的獲利方程式，這套賺錢方法的基礎，是奠基在「選股」上。先要找到一檔即將波動的股票，或是正在波動當中的股票，用權證買進，所以選對股票，是買權證能否賺錢的最大關鍵之一。

　　我的選股方法有2種：1.符合布林軌道「上軌線」和「下軌線」已經明顯收縮，且有機會出現第1根帶量變盤訊號者；2.即將帶量創新高（新低），或是才剛帶量創新高及新低的股票。在本篇我們就來詳細討論這2種技術分析的選股方法。

不易受人為操控，準確度較佳

　　「布林軌道」是我很喜歡用的一招選股法，依照我的操作經

驗，勝率可以達80%以上，因為這個上、下軌線都是平均線的概念，不像買進創新高或新低股只依靠1日的價格變化，較不容易受到人為操控，準確度也比較好。

很多人訝異我怎麼能夠找出勝率這麼高的方法？我剛開始摸索時，也是試著用幾種券商看盤系統裡提供的技術分析法，配合個股日K線走勢觀察，一檔一檔慢慢去看。

看了一段時間，我發現當「布林軌道」線的上下兩條軌線靠攏接近「收縮」後，又因新的力量（成交大量）而準備開始「開口」或「擴張」時，股價的變動就會很大。所以我試著用這個技術分析方法來選股票、買權證。我發現，用這個方法，比看日K線橫向盤整、帶量往上或往下突破均線，更能顯現我想要找的「變盤」概念。

大立光出現變盤訊號，認購權證 1 天賺 26.6%

其實，讀者們自己試著去找出所有個股的布林軌道線，就能夠明白我說的意思。在這裡先簡單舉一個例子，大立光（3008）在2013年11月18日之前，布林軌道的上軌線及

下軌線在2個月之間不斷收縮、「擠壓」到很窄很久，我也已
經將這檔個股列入觀察股名單長達半個月。

2013年11月18日時，大立光布林軌道的上、下軌線已非
常緊縮，11月19日盤中，我發現大立光開始出現明顯大量，

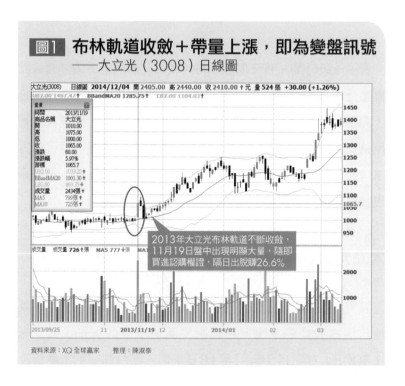

圖1 布林軌道收斂＋帶量上漲，即為變盤訊號
——大立光（3008）日線圖

2013年大立光布林軌道不斷收斂，
11月19日盤中出現明顯大量，隨即
買進認購權證，隔日出脫賺26.6%。

資料來源：XQ全球贏家　整理：陳淑泰

我開始買進第1筆約30萬元的認購權證,然後該股又持續帶量往上走,於是我又買第2筆30萬元認購權證,隔天一早出清,獲利16萬元,報酬率26.6%。

　　這是一個非常明顯而容易觀察的例子。從圖1提供的成交資訊裡,可以看到2013年11月19日大立光的成交張數爆得很大,當天共成交有2,434張,比5日均量799張、10日均量725張明顯多出很多。當然,在當天盤中我不會知道當日成交張數到底有多少,但我可能在10點半、11點的時候,就發現它前1個半小時、或前2個小時的成交張數已經超過前一天的336張,而且股價一直帶量往上走,這就符合我認為是「大量」的條件。

3-2 認識布林軌道優勢 幫投資績效升級

　　其實自從我開始買權證之後，就差不多開始使用布林軌道這個指標了；但我個人只是粗略地使用這個方法，對於它的背景和主要應用，我是後來陸續搜尋網路上的資訊，還有看其他人寫的書，才逐漸有進一步的了解。

　　《Smart智富》月刊的主筆陳淑泰小姐費心為讀者尋找了很多相關資料，整理如下，希望大家能獲得更多布林軌道的知識，精益求精！

各種金融商品皆可運用，還可避開誘多或誘空陷阱

　　布林軌道的英文是「Bollinger Bands」，因為是翻譯名稱，所以你若看到「布林線」、「布林曲線」、「布林通道」、「保力（歷）加通道」、「包寧傑帶狀」等，指的

都是同一個東西；通常在券商提供的看盤系統裡面，會以「B-Band」或「BBand軌道線」來呈現。

這個技術分析的方法是由約翰‧布林格（John Bollinger）所發明，所以用他的姓來命名。根據網路上的資料，約翰‧布林格這個人很有趣，大學主修是電影攝影，但後來考上CFA（Chartered Financial Analyst，特許財務分析師）及CMT（Chartered Market Technician，特許市場技術師），在多家美國電視財經新聞頻道上擔任市場分析評論員，受到專業投資者的推崇。

他創辦布林格資本管理公司（Billinger Capital Management），因為熱中於研究，開發出一系列廣為採用的投資工具和分析技術，他的發明已被當今流行的絕大部分分析軟體採納，是當今美國最重要的證券分析專家之一。

由寰宇出版社出版、董鍾祥先生著的《圖解B-Band指標》一書，洋洋灑灑花了350頁講解B-Band的應用。董鍾祥在書上寫，「B-Band幾乎可以運用在全世界的金融商品投資上，也適合短中長期等不同屬性的投資人使用，是一個萬用指

標」，他形容是「技術指標之王」，在他心目中的地位，就像
女士們心目中的「愛馬仕」（Hermès）一樣。

董鍾祥認為，運用布林軌道進行買賣，操作的成功率遠勝於
借助於KD、RSI指標，甚至移動平均線進行買賣，還能避開莊
家利用一些常用技術指標誘多或者誘空的陷阱，在一般情況
下，特別適用在波段操作上。

Note

結合均線和標準差
布林軌道輕鬆判強弱

　　約翰‧布林格是根據統計學中常態曲線（The Normal Curve）及分配的概念，配合平均數和標準差（詳見註1）原理設計這個指標，主要由3條軌道線組成一個股價通道，分別是中間的20日移動平均線，以及其上下2個標準差距離所形成的上、下軌道線。3條線的意義和計算如下：

1.上軌線（UB，其中之U為Up之意）＝20日移動平均線

註1：標準差，Standard Deviation，數學符號 σ ，是「離均差（或稱變異數）平方和的平均」，公式是：

$$SD = \sqrt{\frac{1}{N}\sum_{i=1}^{N}(X_i - \mu)^2}$$

在機率統計中最常使用作為統計分布程度（statistical dispersion）上的測量，用來反映組內個體間的離散程度；標準差與期望值之比為標準離差率。

＋2倍的標準差，可稱為「壓力線」或「阻力線」。

2.下軌線（LB，其中之L為Low之意）＝20日移動平均線－2倍的標準差，可稱為「支撐線」。

3.中線（MA20）＝20日價格的平均。為個股趨勢的強弱分界線，是考驗一個趨勢（無論是上升、下降或盤整）是否得以繼續的重要支撐或阻力。中線到上軌線之間的區域為強勢區，股價進入強勢區運行的個股統稱為強勢股；中線到下軌線之間的區域為弱勢區，股價進入弱勢區運行的個股統稱為弱勢股。

利用 3 條線，掌握 95% 股價運行區間

　　為什麼約翰・布林格用「2倍」的標準差呢？因為在統計學裡面「標準常態曲線面積分布圖」（詳見圖1）中，當中軸線加減1倍標準差，價格位於上下軌線範圍內波動的常態分配機率是68.26%；若加減2倍標準差，則機率大增到95.44%；若加減3倍標準差，則機率達到99.72%。因此約翰・布林格採用2倍標準差、常態分配機率達95.44%的模式，創造了布

林軌道。運用在金融商品的投資上，即代表一個商品的價格有95%的機率會在布林軌道上下軌線形成的通道裡面波動，只有5%的極端機率會在通道之外。

由下往上穿越中線為加碼訊號，反之為減碼訊號

一般情況下，上、下軌線分別是價格的壓力線和支撐線，

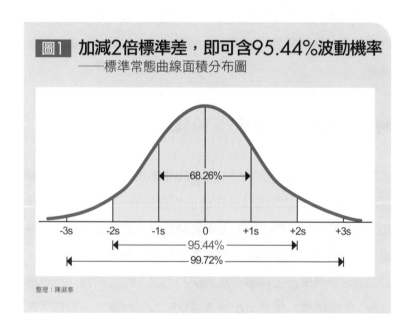

圖1 加減2倍標準差，即可含95.44%波動機率
──標準常態曲線面積分布圖

整理：陳淑泰

在跌破下軌線時，代表超跌，買點出現；漲破上軌線則是超漲，賣點出現。當股價由下往上穿越中線為加碼訊號；反之則為減碼訊號。

亦可以將中線及上軌線的區塊視為強勢區，連續上漲的股票，多半在中線及上軌線之間波動，當股價跌破中線時視為轉弱訊號；而弱勢股則多半在中線及下軌線之間波動，股價漲破中線視為轉強訊號，如果股價不會再跌破下軌線，且下軌線由躺平轉為向上，就是買入訊號。

但是這些規則並不是在每一種金融商品都完全適用，有些交易員會說，通常布林軌道在盤整或上漲的趨勢中提供較好的參考，在商品的下跌趨勢中，若跌破下軌線並不見得是真正的買點，有可能下跌不止，如果貿然建倉可能會受到損失；此外，依不同商品價格特性，在運用上也會有不同（詳見下頁Box）。

只看日線的布林軌道，不細看分鐘線

在參加講座時有人問我，布林軌道用的參數設定是多少？

布林軌道8項主要應用技巧

1. 當價格運行在布林軌道的中軌和上軌之間的區域時，只要不破中線，代表處於強勢行情中，只考慮逢低買進，不考慮做空。

2. 當價格在中線和下軌線之間時，只要不破中線，代表處於弱勢行情，交易策略是逢高賣出，不考慮買進。

3. 當價格沿著上軌線運行時，說明市場目前是單邊上漲行情，持有的多單要守住，只要價格不脫離上軌線就不賣出。

4. 當價格沿著下軌線運行時，說明市場為單邊下跌行情，持有的空單要守住，只要價格不脫離下軌線就不平倉。

5. 當價格運行在中線時，說明市場目前為盤整震盪行情，對趨勢交易者來說，這是最容易賠錢的一種行情，應迴避、觀望為上。

6. 觀察布林軌道的縮口狀態，價格在中線附近震盪，上下軌線逐漸縮口，此是大行情來臨的預兆，應空倉觀望，等待時機。

7. 上下軌線縮口後的突然擴張狀態，意味著一波爆發性的大行情來臨，此後，行情很可能往單一方向大漲或大跌，可以積極建立部位，順勢而為。

8. 上下軌線縮口後，在一波大行情來臨之前，經常會先出現假突破行情，這可能是主力洗盤的陷阱。

我當場答不出來，因為我一直都是用券商原本設定好的（編按：即20日移動平均線和上下2倍標準差），完全沒有更改過；我也沒去試過改用其他的數字是不是會比較準。

　　設定方式是點入個股的「技術分析設定」，然後勾選BBand軌道線，就可以叫出一檔個股的BBand軌道線（詳見圖2）。

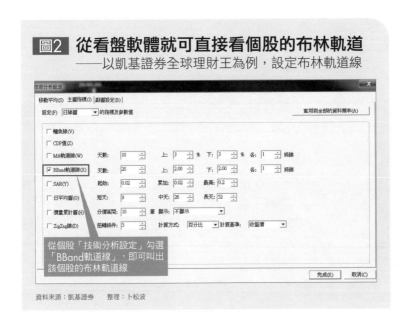

圖2　從看盤軟體就可直接看個股的布林軌道
——以凱基證券全球理財王為例，設定布林軌道線

資料來源：凱基證券　整理：卜松波

　　另外，有人會問我平常看盤時，布林軌道是看幾分鐘線？決定買賣時，又是看幾分鐘線？我是只看日線圖的，看前一天布林軌道有沒有縮小，再參考當天成交量決定要不要進場。我不會再去細看分鐘線的布林軌道，我也沒有試過看分鐘線的布林軌道會不會更精準？有興趣的讀者可以自己去試試看。

✏️ Note

3-4 布林軌道由收縮轉開口 是變盤關鍵時機

　　布林軌道裡，上、下軌線之間形成的「通道」大小，會因股價波動程度大小而變動；在中國市場稱這個通道叫「帶寬」，帶寬會有寬、有窄。

布林軌道的 3 大型態

　　我使用布林軌道的方法有別於一般人的運用方法，所以在這裡我先把我自己常用的幾個基本型態解釋如下：

◎型態1：長期擠壓

　　當股價波動很小、通常處於盤整時，上、下軌線逐漸靠近、通道變窄，稱為「長期擠壓」（如圖1「A」位置的型態）。

◎型態2：收斂或收縮

當上、下軌線開口轉趨縮小時，稱為「收斂」或「收縮」
（如圖1「B」位置的型態）。

◎型態3：開口或擴張

當股價波動變大，上、下軌線開口逐漸放大，稱為「開
口」或「擴張」（如圖1「C」位置的型態）。

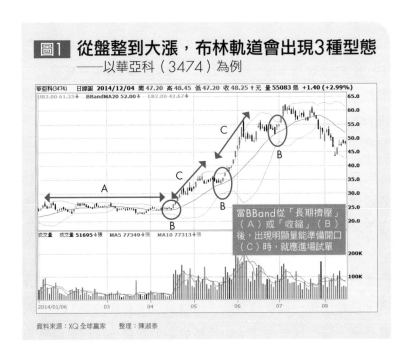

圖1 **從盤整到大漲，布林軌道會出現3種型態**
——以華亞科（3474）為例

當BBand從「長期擠壓」（A）或「收縮」（B）後，出現明顯量能準備開口（C）時，就應進場試單

資料來源：XQ全球贏家　　整理：陳淑泰

上下軌道接近代表波動趨緩，新方向即將出現

我個人最重要的運用是，當布林線由「長期擠壓」和「收縮」兩種型態正要轉至「開口」時（即圖1的B點），表示股價結束盤整或整理，即將產生劇烈波動，而股價的突破方向，就代表未來短線趨勢的方向。

所以，我看布林軌道線的方法，和一般布林軌道基本的運用並不相同，一般技術分析者最常以布林軌道中的上軌線視為壓力、下軌線視為支撐，理論上股價有95%的機率會在這上、下軌線之間運行，採用低進高出法，可以掌握到95%股價運行的區間。

但我是從另一個角度，是以上軌線和下軌線逐漸接近時，代表股價的波動趨於和緩，就是前波段籌碼正在沉澱、逐步地穩定下來，屬於盤整待變的階段。

當一檔個股處於這樣的狀態一段時間後，新的力量如果想介入，就會出現一個新的方向。也就是說，有新的勢力想介入買進時，股價就會強漲；如果新的勢力想賣出，股價就會重

跌。這代表個股出現波動的機會來了，而權證要抓的就是個股
波動的機會。

一定要搭配成交量觀察，且標的股漲停時千萬別買

有人會問，這個上、下軌線要收縮到多少？有沒有數值可以
參考呢？在網路上有專家寫「上下軌線的數值差接近10%之
時，為最佳的買入時機」，但我個人是不會去算這個，因為有
時股票發動迅速，算好恐怕已經漲停或跌停了，所以看圖形差
不多，我就會列入考慮去操作。

不過有一點非常重要，這一定要成交量增加來配合，因為量
增代表這個新勢力是一個有力的買家或賣家；所以當我看到這
個新「大老闆」出現，推升該股盤中帶量上漲或下跌時，就會
開始買進試單。

有人問我，在漲（跌）多少趴（％）時會買？我通常沒在管
趴數，如果一定要說個數字，大概就是漲1%～3%的時候吧！

但談到上漲的趴數，要特別提醒一件事，如果想買的標的股

票很快就亮燈漲停了，千萬別買它的權證，因為這時很多人去追買權證，會讓權證價格嚴重失真，遠遠超出合理價，若標的股票第2天漲幅不如預期，權證價格會殺很大！過去在大多頭、有連續行情時，的確有人敢在標的股票漲停時買權證，他們還是可能賺錢。不過，碰到漲1天跌1天的時候，恐怕就會賠很慘。

當收口明顯轉為開口，短線將有新高或新低

我曾經在網路上看到一段話，來自一位沒有具名的高手所寫，他也很認同布林軌道從收窄轉為開口時可以買進，他寫道：

「布林軌道有一種短線指示作用，但是投資者切記，僅限短線炒作，有一定獲利應果斷出局。

應用規則是這樣的，當一檔股票在一段時間內股價波幅很小，在布林軌道上表現為：股價波幅帶（指上、下軌線）長期收窄，而在某個交易日，股價在較大交易量的配合下，收盤價突破布林線的壓力線，而此時布林線由收口明顯轉為開口，此

時投資者應該果斷買入，這是因為，該股票由弱轉強，短期上衝的動力不會僅僅1天，短線必然會有新高出現，因此可以果斷介入。」

這位高手與我的經驗很相似，但是最後4句話稍微有一點不完整，我再補充一下，當收口明顯轉為開口，會出現往上或往下的兩個不同方向，並非只會出現往上的方向，這位高手只寫到可以做多，但我認為這樣的訊號時在做多時可用，在做空時也可以用。所以我覺得前面一段的最後4句應該修正成「該股票由弱轉強，或是『由盤整轉為更弱』，……所以短線必然會有新高『或新低』出現」。

英業達出現帶量殺盤，買權證做空 1 天賺約 16 萬

接下來就舉個我運用在做空、買認售權證的例子：

2013年11月7日，我看到英業達（2356）原本以平盤價26.2元開出，但是盤中卻出現帶量的殺盤，有1筆超過300張的賣單，另外還有100張～200張賣單一直殺出，於是我決定做空，在現股大概跌2%的時候買進認售權證，大約買了

48萬元。

當天成交張數有3萬649張，比前一日（11月6日）成交的
1萬5,717張明顯高出很多。當天英業達被大賣單殺到跌停收
盤，11月8日英業達開盤沒多久又亮燈跌停，在現股大概跌
幅4%～5%時我把認售權證獲利了結，獲利16萬7,000元，

圖2 英業達帶量下殺，買認售權證獲利34%
——英業達（2356）日線圖

2013年11月7日英業達盤
中出現大量賣單，因此在
現股跌2%時買進認售權證

資料來源：XQ全球贏家　整理：陳淑泰

報酬率34%（詳見圖2）。

這裡有一點可以先說明，我從第1天買英業達認售權證那一刻到隔天早上賣出期間，英業達現股大概跌了10%，我的認售權證部位報酬率大概只有34%，是因為認售權證的槓桿倍數會比認購權證來得低。

也因此，看空股票、買認售權證的單筆獲利率，通常會不如看多股票、買認購權證的獲利率來得高。英業達比較例外，是因為那一次股票跌得很快、很凶；如果不懂什麼是槓桿倍數的讀者，我在第4篇再來仔細說明。

3-5 布林軌道長期擠壓後打開 多放幾日可賺更多

　　從3-4的圖2可看到英業達（2356）突然重挫的前一日，
上、下軌線，或我們稱「通道」，只有稍微收縮，還不算是收
得很緊。如果已經收口很長一段時間，已經擠壓到很窄的情
況，那麼它突然要開口時，往上或是往下的力道和持續性會很
強；比如說我們在3-1舉例的大立光（3008）就是一個很好
的例子。

經過長期擠壓、出現方向後，漲跌力道大

　　另外，在2014年上半年台股的波段行情裡，我也發現很多
股票有這樣的型態出現，比如說像是圖1的基亞（3176），
它在2014年3月12日之前，上下軌線都沒有很明顯的開口或
擴張，長達7個月都是收窄到很平的情況，所以到3月13日之
後一旦往外開口，整個向上的力道和幅度就相當強大。從圖

1上的資訊可以看到2014年3月12日基亞的收盤價才差不多
203.5元,但那個波段基亞就瘋狂上漲到474元,才開始陷
入整理。

　　雖然我買權證部位一定是隔日沖、隔日就賣,但我常思
考,也許遇到某檔股票通道收縮很長一段時間,到相當窄的地

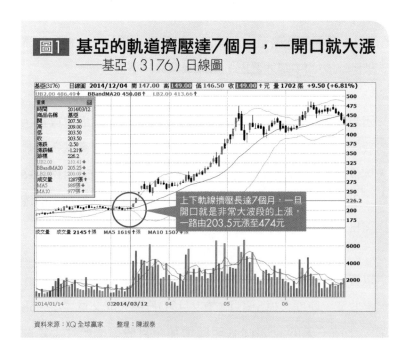

圖1　基亞的軌道擠壓達7個月,一開口就大漲
——基亞(3176)日線圖

上下軌線擠壓長達7個月,一旦
開口就是非常大波段的上漲,
一路由203.5元漲至474元

資料來源:XQ全球贏家　　整理:陳淑泰

129

步，才出現帶量開口的情況，算是難得的機會，應該可以多放
一段時間，獲利率一定可以提高。

跌破中線再賣可賺大波段，但需留意權證時間價值

有一個在臉書上認識的朋友，也很肯定B-Band指標，一直
傳訊息跟我分享，用這個方法可以抓到中長線的飆股，他就是
觀察一檔股票上、下軌線收縮到平平很長一段時間、大概3～
6個月，只要開始帶量出現開口，就買進權證放著，直到股價
跌破B-Bnad的中線才賣出，可以賺很大一個波段。

因為我習慣做短線、控制風險，要說服自己把權證放長，
對我來說有點難。不過，抓到這類的股票，我會嘗試多放幾
天，像2014年2月做多智冠（5478）、2014年6月做多網
家（8044），多放了幾天，等轉弱才出場，單筆獲利率的確
比隔日就賣出還要好很多。

以智冠的例子來說，它在2014年2月20日之前，上下軌線
已經收窄，時間長達5個月，在2月20日那天成交量達4,268
張，比前一天的1,244張明顯增加，且股價開始往上走強

（詳見圖2）。

當天我發現後，馬上買進以智冠為標的的認購權證，買了約
40萬元，收盤時上漲約3.5%。因為隔天量價都非常強勢（當
天成交張數又放大到7,910張），且我看它之前的通道已經

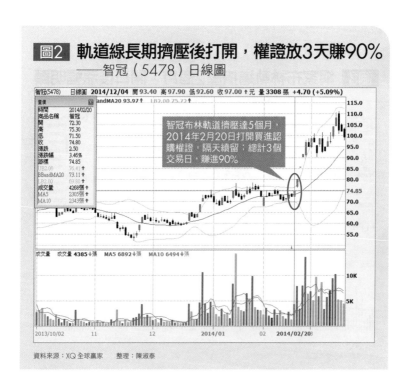

圖2 軌道線長期擠壓後打開，權證放3天賺90%
──智冠（5478）日線圖

智冠布林軌道擠壓達5個月，
2014年2月20日打開買進認
購權證，隔天續留；總計3個
交易日，賺進90%。

資料來源：XQ全球贏家　整理：陳淑泰

收窄平了很久一段時間，所以21日我決定留著權證，果然智冠在21、24日（中間隔了一個週末）都以鎖住漲停作收；直到2月25日該股以漲5.5%開盤，我決定賣出。結算獲利逾36萬元，報酬率90%，算是非常不錯的一筆交易。

網家的情況也很相似，只是網家之前布林軌道收窄的時間不

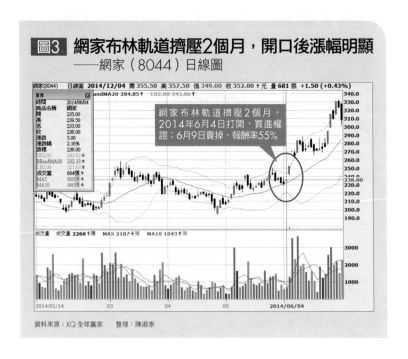

圖3 網家布林軌道擠壓2個月，開口後漲幅明顯
——網家（8044）日線圖

資料來源：XQ全球贏家　整理：陳淑泰

像智冠那麼長,所以連續上漲的力道也稍微弱了一點。我是在2014年6月4日買進網家的認購權證,之前它的通道收縮大概是2個月;我大概共買進3筆,大約90萬元,之後連漲2根停板,但6月9日開盤後就往下跌,我趕快賣掉,90萬元賺50萬元,報酬率也超過55%(詳見圖3)。

其實這兩檔股票在我獲利了結之後,都還持續往上漲,像我賣掉智冠權證時,智冠股價大概在91元,後來它還繼續往上漲、波段最高到125元;我賣網家權證時,網家股價大概在265元左右,波段最高漲到332.5元。

如果用那個網友建議的方法,買進後等到跌破中線再賣掉的話,智冠大概可以賣在96元,網家大約可以賣在300元左右附近,代表從我出場之後,往上還有滿不錯的價差可以賺。不過因為股價通常是衝上去到達波段高點後,回檔往下才會碰觸到布林軌道的中線,可能經過一段不短的時間,若是買權證來放,時間價值會被吃掉,資金夠多的讀者可以考慮買股票來放,獲利應該是很不錯。

3-6 投資外匯、美股 單靠布林軌道也能賺

　　我最近看到泰國有一個高手分享操作美股，他只做開盤1個鐘頭，自稱已經賺了9位數（泰銖）。他沒有公開方法，因為他說只做開盤後60分鐘，所以我試著去看蘋果（AAPL.US）股價的60分鐘線圖（詳見圖1），布林軌道收縮後再開口幾乎都是一次新的上漲行情，也非常精準！

用在外匯不看收縮，碰到上軌線做空、下軌線做多

　　當然，某一個技術分析用在哪一國的股票應該都適用。我個人覺得布林軌道是一個很強的技術分析方法，除了股票，還可以適用在各種金融商品上。

　　我曾經試著用來做外匯期貨，在網路開了一家俄羅斯的券商帳戶，因為外匯期貨的槓桿比權證更大，所以一點點波動就可

以讓你大賺或大賠，帳面很有感覺。

　　不過，布林軌道應用在外匯期貨上，並不能看上、下軌線收縮，因為匯率的特性是會在壓力線和支撐線之間來回，也就是價格幾乎都在布林上、下軌線之間運行，所以應用的方法是當價格碰到上軌線時做空，碰到下軌線時做多，這樣操作勝率滿

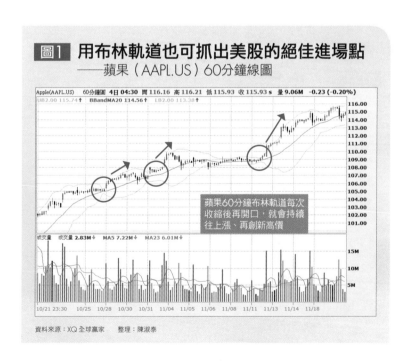

圖1 **用布林軌道也可抓出美股的絕佳進場點**
——蘋果（AAPL.US）60分鐘線圖

資料來源：XQ全球贏家　整理：陳淑泰

高的。

　　可惜的是，做外匯期貨比較麻煩，是要在晚上睡覺時間盯盤，加上買賣價差很高、高達3％，也就是莊家要跟你收的手續費很高，甚至放隔一天還要收「過夜費」，有次被券商收了好幾千元，我們笑說比人過夜還貴，所以後來我就放棄了。

Note

3-7 抓飆股》創新高或新低股是投資最佳標的

談完布林軌道線之後，我們再談我的追創新高或創新低股的做法。

「追強汰弱」是很多股市高手、贏家使用的招術之一，強勢股指的就是股價上的強勢，在股價強勢的表現就是不斷創波段新高，甚至創歷史新高價。

股價只要創新高，常常會漲到無法想像

像是蘇松泙《平民股神教你不蝕本投資術》或是胡立陽的《股市投資100招》等幾本書，都有談到追創新高股票的方法和概念。蘇松泙形容，股價創新高，就像是放天燈一樣，向上沒有壓力，「不知道會飛到哪裡去」；胡立陽則是說，到「外太空」去（指上漲越過最高的均線反壓），「股價會不聽

使喚、吸不回來」。

　　所以當盤中看到個股的股價剛創新高（低）或即將創新高（低）的股票，我也會買進認購（售）權證試試。這是我除了使用布林軌道之外的第2種選股方式，不過在使用的比率上，前者大概占了8成，而且勝率也比較高。

破歷史或波段新高低都可以，有量才做

　　這裡的新高（低）不是一定要歷史新高（低），也包括波段新高（低）；當然，創歷史新高（低）的股票強度會更勝於波段新高（低）的。此外，用創新高（低）價選股法，和用布林軌道一樣，也要重視成交量，有量才做。

　　記得2011～2012年，宏達電（2498）一路破底、一路創新低價，我常買宏達電的認售權證，加起來的獲利金額接近200萬元，是單一股票讓我獲利最多的。這段時間我太喜歡宏達電了，因為它讓我賺很多，還連買了3支他們家的手機。

　　讓我最驚喜的一次是，有一天我買了200萬元的權證，其

中190萬元是做多其他股票的認購權證，只有10萬元做空宏達電、買認售權證99張，因為這檔認售權證的槓桿只有2倍多，所以不想多買。第2天，宏達電一開盤就亮燈跌停，宏達電這筆帳面雖然賺了2萬元，但其他單子賠了10萬多，心情很不好，就想放著宏達電的認售權證不急著賣出，沒想到宏達電的認售權證居然一路大漲、遠超出它的合理價，到了尾盤獲利暴增到12萬元，我決定賣出，那天的結算就這樣逆轉勝，賺了！

此外，鴻海（2317）從2013年除權、息之後，股價一路走高，都創波段新高，好幾次出現帶量創新高時，我也買它的認購權證；不過因為它的股本較大、波動較小，用權證買的單筆獲利率不像中小型股本的那麼好。

我印象最深刻的是2013年11月4日，聯發科（2454）、可成（2474）、矽格（6257）這3檔股票同時創歷史新高，我買進這3檔股票的權證，隔天賣出後獲利56萬9,000元，也創下我闖蕩股市以來，單日獲利金額的最高紀錄（2014年6月9日賣出獲利逾70萬元，但其中包括網家權證放了3天、獲利50萬元，因此不列入紀錄）。

　　以下就以聯發科K線圖為例，在2013年11月1日時，該股雖然已創新高價，但成交量還未明顯放大，所以我沒有做；到了隔一個交易日、也就是11月4日（星期一），該股盤中一波波帶量往上（該股當日成交2萬1,792張、為前一日6,805張的3.2倍），我買進3檔聯發科的權證，約80萬元，隔天賣出賺30萬元，報酬率逾37.5%（詳見圖1）。

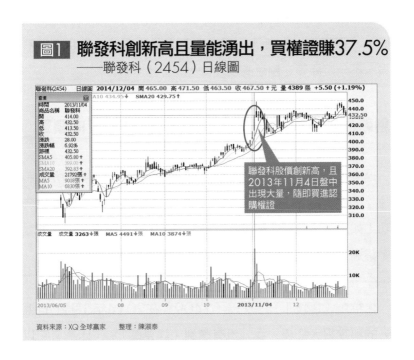

圖1　**聯發科創新高且量能湧出，買權證賺37.5%**
　　——聯發科（2454）日線圖

聯發科股價創新高，且2013年11月4日盤中出現大量，隨即買進認購權證

資料來源：XQ全球贏家　整理：陳淑泰

3-8　夠強勢＋單筆大量 先進場再說

　　用追創新高（低）選股法，一般讀者最大的疑問是，到底要不要看到新高價出現了才買權證呢？我的答案是：個股強勢表態，「很可能」創新高，配合單筆大量出現時，我也會試看看，不一定要等它創新高後才做。

創新高可能會挑戰多次才成功，試錯再反向鎖單

　　還有，追創新高（低）股，千萬別被過去的經驗所限制住；因為有些要創新高的股票，會是往上挑戰好幾次才會成功；如果你之前看這檔股票上去又下來，索性不買，很可能就會錯過最好的那次機會。

　　像群創（3481）、友達（2409）在2014年6月26日上去的那幾根大紅棒，我就沒有賺到（詳見圖1），因為看它以

前突破新高後,股價又下來,來來回回幾次,所以這一次我想可能又是假的,就放棄沒做,因而錯過了那一次噴出大漲、最好賺的機會。

所以我建議還是要嘗試,反正不對再買反向鎖單、減少損失就好,但對了,就可以讓你撈到一筆大的。

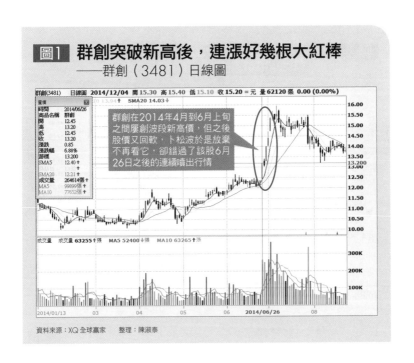

圖1 群創突破新高後,連漲好幾根大紅棒
——群創(3481)日線圖

資料來源:XQ全球贏家　整理:陳淑泰

追創新高股勝率可達 70%，但最好避開小型股

追創新高股的勝率還不錯，大概有60%～70%，惟比用布林軌道找變盤股的勝率來得低，尤其在小型股，可能偶有失準的情況；可能因為小型股票籌碼少，容易集中在少數人手上，會有主力控盤、創造一天的行情，刻意引誘買盤進場的情

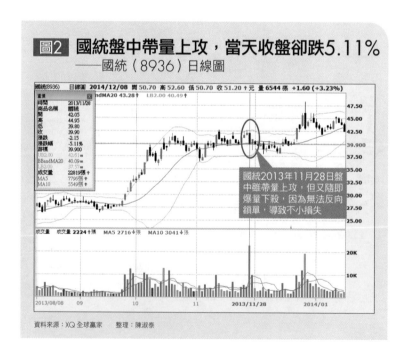

圖2 國統盤中帶量上攻，當天收盤卻跌5.11%
——國統（8936）日線圖

國統2013年11月28日盤中雖帶量上攻，但又隨即爆量下殺，因為無法反向鎖單，導致不小損失

資料來源：XQ全球贏家 整理：陳淑泰

況出現。

　舉個例，像是國統（8936）在2013年11月28日一早開
高走高，帶量上攻，我發現它帶量創新高價，於是積極買入
該股的權證30萬元，但當天亮燈漲停沒多久，突然又爆量下
殺，收盤跌了5.11%（詳見圖2）；但這檔股票沒有認售權證
可以買，我沒辦法做反向鎖住損失，結果隔天賣掉權證後，
30萬元只剩下16萬元，損失不輕。我猜測國統這檔股票，就
是主力刻意誘多，才在11月28日早盤拉高，讓我們這些人誤
以為它即將轉強而進場。

3-9 不必太在乎大盤走勢
但順著做可加分

　　每次講完挑選個股的方法，一定會有很多讀者接著會問：那做多或做空到底要不要考慮大盤的走勢呢？

　　我個人是覺得大盤走勢不需要太在乎，除了是全面性地往上狂漲，或發生重大事件造成全面性的崩跌之外，否則一般情況下，是不需要太注意大盤方向的。每天不論大盤漲跌，總是有股票會漲停與跌停，我們還是照我們的選股原則挑股票，不需要改變。

　　但是，股市是千變萬化的，什麼情況都可能發生，有時候你選到的股票當天是夠強，就算大盤轉弱也不受影響，一直往上；或是有一檔個股就是不爭氣地一直往下，就算大盤開低後走高，它還是一蹶不振。但也可能，你選的股票是會受大盤影響的，可能剛開始很強，後來被大盤帶著往下的，或是開始很

弱，後來被大盤帶著往上的。

比如說，有一天，我記得是2014年8月20日，早上我和一群朋友都找到一些股票，是布林軌道收縮後帶量上漲的，於是我們就買權證。大盤最後是上漲44點，但我們都沒賺到錢，為什麼？因為當天是金融類股撐盤、貢獻指數，電子股整體走弱，我們一直習慣做電子股，那天早上買的全是電子股的權證，所以沒賺到錢。因此，雖然不用太在意大盤，但如果大盤或類股出現明顯的方向，那麼順著大盤和類股的方向做，是可以加分的。

順著大盤可拉高勝率，牢記買對加碼、買錯鎖單

說到這裡，我想借用股神安德烈・科斯托蘭尼的「遛狗理論」（詳見註1），他用股市和經濟來比喻狗與主人。當我們

註1：安德烈・科斯托蘭尼曾經說：經濟和股市的關係就像主人與狗一樣，主人是經濟，狗是證券市場。雖然狗會跑來跑去，也就像股市短線會出現漲跌方向不明的狀況，但狗的主要行進方向，仍是會隨著經濟的發展方向而走，所以當狗離開主人有一定距離的時候，又會跑回來找牠的主人；整個過程，反反覆覆，最後兩個同時到達終點。遛狗理論主要闡釋：決定股市運行方向的是「經濟」。

去公園時，常常會見到有人在公園遛狗，狗往往是沒有方向性的跑來跑去，如果想知道這隻狗主要的行進方向，最簡單的方式，就是問問牽著這隻狗的主人。因此，股市的「遛狗理論」就是股市就如同狗，而經濟就如同狗的主人。

但「個股」和「大盤」的關係，也有點像公園裡的狗和主人。如果主人帶著狗散步，主人一路要往東走，狗想往西跑，就會很辛苦，必須用盡氣力，掙脫脖子上的項圈，才能到達西邊，除非是力氣很強大的狗才能掙脫，若只是一般的狗，通常是敵不過主人的控制、無法到達牠想要去的西邊。

大盤，就像是這個牽狗的主人；個股，就是一隻隻的狗。我們除了靠選股的技巧外，最好還要尊重主人（大盤），大盤要往上，我們最好順著它老大的意思做多，別想專挑逆勢跌停股；大盤要往下，就反過來，盡量找表現比較不好的弱勢股下手。也就是我們不用花費很大力氣去掙脫主人的牽制，順著大盤方向走，到達目的地的機率才會大。

有的人喜歡問我，明天大盤會往上、還往下？我常常在盤前說大話，但盤中看到情勢不對馬上就改變了，所以就算我預測

了，也不一定準的，大家也不必去預測行情。你只要知道前一刻大盤的走勢，比如說明天盤中11點的時候，我知道9點～11點大盤的走勢，然後順著它，長期這樣做就夠了。順著大盤，加上我們的選股方法，就能提高勝率！

此外，不論你遇到哪種情況，都不能忘記最重要的風險控管紀律──買對加碼、買錯鎖單，也就是回到我們2-5「看對方向加碼，看錯方向反手鎖單」中強調的內容，並且要貫徹執行這個準則，這樣不管大盤怎麼劇烈變化，你都不會受到大傷害。

4

挑對權證　摸清交易眉角

4-1 6條件挑好權證 下單要快狠準

市場上很多投資人聽到「權證」這個商品很害怕，覺得專業知識很多、很難學，在交易上的陷阱也很多，感覺很容易把錢賠光。我覺得自己在權證市場「很笨」，並沒有把權證所有知識都搞清楚，也不知道權證各種條件的算法。

不過我陸續看了一些權證相關的書，也上網搜尋相關知識，去搞懂權證是什麼。我建議完全沒有權證交易經驗的新手，要先把權證的基本特性都了解一下比較好，然後善用權證的優點、避開權證的缺點。

如果有人問我權證的基礎ABC要看哪些書，我建議他們可以看權證小哥寫的書，參考書裡面一些權證基本常識，同時可避開市場上發行券商的陷阱；不過，小哥是權證大戶，策略很多元，而且有一些數據算得比較精細，是一般小戶比較難以仿

效的。像他很重視「隱含波動率」這個東西,我可能就不那麼在乎。

條件不能太多,以免影響下單速度

我去上分享課時,有一個人問我:看「布林軌道」就可以知道權證的「隱含波動率」嗎?讓我哭笑不得。前面的布林軌道是選擇「標的股票」的方法之一,後面的隱含波動率,則是影響「權證」價格的因素之一,是兩個完全不同的東西。所以來學我賺錢方法的人,最好是只專注一套方法,不要把A贏家和B贏家的概念都混在一起。

對我來說,我只是利用權證的槓桿優勢,而且通常隔天就賣出,選中股票後,馬上要在好幾檔或幾十檔權證中挑出目標,實在沒有多少時間可以考慮,所以快、狠、準是一定要的,如果要計算權證諸多條件,會影響下單的速度,所以看的條件不能太多,我選擇權證時主要只看以下6個條件:

◎條件1:槓桿倍數愈大愈好

因為我們要快進快出,就是要利用權證的高槓桿優勢。

◎**條件2：看委買、賣價差，檔數（tickers）差愈少愈好**

這樣被吃掉的價差成本比較低。

◎**條件3：發行商掛單量充足**

代表流動性會好，隔天比較容易賣出。

◎**條件4：權證每股價格最好高於1元**

因為換算的價差成本比較低。

◎**條件5：價內、外不超過10%**

因為這樣的權證跟現股的連動性比較好。

◎**條件6：距最後交易日不要低於2天**

這樣你才有機會在明、後天的市場上賣出。

為什麼看這6個條件，我們在以下4-2～4-6會仔細討論。

主打短線操作，不需特別關注隱波率或 Theta 值

至於市場上常討論到的其他條件，我可能就不那麼在意，因

為我買權證都放得很短。像是「隱含波動率」（隱波率）這東西，是一檔權證賣得貴還是便宜的關鍵，隱波率高，權證就貴；隱波率低，權證就便宜。

很多只談理論的權證教科書上，會教投資人去買低隱波率的權證，但在實務上，有些發行券商會刻意發行低隱波的權證，引誘投資人上鉤，待投資人買進後又再調降隱波，讓投資人買低賣更低。所以權證小哥就很強調要買隱波「低且穩定」的權證。

還有人會看「Theta值」（詳見名詞解釋），就是你買進權證後，每天要付給發行券商多少的「過夜費」？這是中長線的權證買家必須特別考慮的條件，因為持有權證時間可能長達幾週；但我買進權證後幾乎都是隔天就賣掉，所以只要發行券商

名詞解釋：Theta 值

一檔權證的 Theta 值，就是你買進一檔權證一天要付出的時間價值，也就是買進權證後，每天權證價格會減損的金額。Theta 是負值，且會隨時間增加，當你的 Theta 值愈高，你要花費的成本就會愈高。

在一天之內不要降太多隱波率，Theta值也不要掉太多，我個
人覺得差別好像不是很大，所以我選權證時並不會特別看這些
條件。

✏️ **Note**

4-2 槓桿倍數愈高 漲幅也愈大

權證的有效槓桿倍數,是我選擇權證的第一個關鍵,為什麼?這要回頭去談我一開始學權證的時候。

我因為背痛,決定重回股市操作時,富邦證券的蕭鈴香小姐真的很用心教我很多權證的專有名詞,但這些東西對我實在像「鴨子聽雷」,一來很多是數學運算的東西,我沒有相關的背景根本聽不懂;二來中文不是我的母語,很多字我以前沒看過、沒用過,更別說要去理解。加上我是電腦白癡,只會開機、上網、下單(股票),所以她教了我幾次之後,我就回家自己摸索。

小資族最好挑有效槓桿 10 倍以上權證

之所以會發現權證的槓桿倍數很重要,是因為我回家後先試

著去觀察，一檔股票當天如果上漲，它所有權證的漲幅排行裡，會排在前面都是「有效槓桿倍數」高的，因為我的本錢少，當時只有8萬元，當然希望能挑到隔天漲幅最大的權證。所以看權證的槓桿倍數，就變成我買權證的第一條件。

什麼是「槓桿」？懂中文的人，應該不難理解這個。比如說融資交易好了，融資保證金60%、自備款40%，買進股票可參與100%的漲幅，所以槓桿倍數即為2.5倍（即100%／40%），也就是（現股價格／融資自備款），現股漲1%，用融資買進的報酬率是2.5%（在不考慮交易和融資成本的情況下）。

而權證的最大優點就是高槓桿，有利於只有小錢的人，一直到現在我還是習慣找高槓桿倍數的權證來買。一般權證常見的槓桿3倍～15倍，我經常買超過15倍槓桿的權證，槓桿愈高的我愈喜歡。

權證的有效槓桿倍數，也有人稱「實質槓桿倍數」，也就是標的股票上漲1%，權證會上漲的趴數。一般券商的看盤軟體都會提供此數據（詳見圖1），投資人不必自己辛苦地計算。

假設股票波動3%，我使用有效槓桿10倍的權證，一次交易就能賺到30%。而單筆獲利2成～3成，通常就是我選對股票、看對方向時，最常見的報酬。

槓桿高風險也高，留意 4 大注意事項

但買有效槓桿高的權證，有幾點實務上的注意事項：

圖1 依有效槓桿排列，並視為挑選權證第一要件
——利用券商看盤軟體直接查看槓桿數據

3691頎禾

代碼	商品	買進	賣出	成交	漲跌	漲幅%	單量	總量	認購/認售	行使比例	有效槓桿	價內外%	最後交易日	內含價值	買進隱含波動	隱含波動率
709941	康和YL	[illegible]	[illegible]	[illegible]	[illegible]	[illegible]	100	185	認購	0.03	3.97	13.92	2014/...	1.4994	53.74	54.98
710120	國泰SI	3.70	3.75	3.50	▲0.54	+17.76	18	616	認購	0.04	3.88	22.46	2014/...	3.0000	49.40	44.96
710008	元富SM	[illegible]	[illegible]	[illegible]	[illegible]	[illegible]	[illegible]	1202	認購	0.02	3.85	20.29	2014/...	1.3800	50.77	52.17
710382	日盛TY	[illegible]	1.90	1.71	▲0.13	+8.73	44	324	認購	0.02	3.76	16.86	2014/...	1.1800	60.17	50.38
709999	統一Q2	[illegible]	[illegible]	[illegible]	[illegible]	[illegible]	[illegible]	214	認購	0.02	3.75	22.49	2014/...	1.5020	51.90	52.64
709882	凱基VF	[illegible]	2.06	1.95	▲0.23	+13.37	10	399	認購	0.02	3.67	23.94	2014/...	1.5800	63.00	56.24
710677	W8富邦	[illegible]	[illegible]	[illegible]	[illegible]	[illegible]	3	170	認購	0.02	3.65	6.57	2014/...	0.5044	49.39	44.96
709616	WA群益	5.60	5.65	5.40	▲0.66	+13.92	5	133	認購	0.05	3.56	31.94	2014/...	4.9500	61.55	53.00
710581	國泰TR	[illegible]	[illegible]	[illegible]	[illegible]	[illegible]	[illegible]	1210	認購	0.02	3.53	11.44	2014/...	0.8400	49.41	50.34
709302	UB群益	5.35	5.40	--	--	--	0	0	認購	0.04	3.52	46.07	2014/...	5.1600	64.62	--
709973	元大VU	[illegible]	[illegible]	[illegible]	▲0.13	[illegible]	[illegible]	1337	認購	0.03	3.52	16.86	2014/...	1.7700	58.65	57.13
710029	元大VZ	[illegible]	2.11	[illegible]	▲0.31	+17.51	30	592	認購	0.02	3.47	25.85	2014/...	1.6800	58.60	58.60
709305	元大RF	[illegible]	--	[illegible]	[illegible]	[illegible]	5	90	認購	0.04	3.22	36.33	2014/...	4.3600	57.93	50.71
709790	元富RF	2.69	2.75	2.50	▲0.05	+2.04	10	11	認購	0.02	3.19	46.07	2014/...	2.5800	52.95	--
709385	UQ群益	4.67	--	--	--	--	0	0	認購	0.03	3.17	63.60	2014/...	4.7700	--	--
710318	QI永豐	1.23	1.25	1.17	[illegible]	[illegible]	15	175	認購	0.01	3.16	31.72	2014/...	0.9850	63.97	58.11
709172	兆豐YY	[illegible]	--	--	--	--	0	0	認購	0.03	3.14	57.88	2014/...	4.4985	48.84	--
709311	永豐UV	4.58	4.68	--	--	--	0	0	認購	0.03	3.08	58.09	2014/...	4.5084	62.16	--
709243	元大RD	[illegible]	--	[illegible]	[illegible]	[illegible]	[illegible]	13	認購	0.03	3.04	51.48	2014/...	4.1700	58.04	--
709122	日盛V9	[illegible]	4.86	--	--	--	0	0	認購	0.03	2.94	63.60	2014/...	4.7700	64.40	--
709893	日盛RW	[illegible]	[illegible]	[illegible]	[illegible]	[illegible]	[illegible]	409	認購	0.01	2.91	31.94	2014/...	0.9900	58.82	55.26
708601	元大R5	[illegible]	--	--	--	--	0	0	認購	0.024	2.89	65.89	2014/...	3.8988	--	--
709128	凱基RL	[illegible]	[illegible]	4.35	▲0.35	[illegible]	1	1	認購	0.03	2.82	60.39	2014/...	4.6200	61.09	--
709171	元富Z6	3.31	3.37	3.07	▲0.14	+4.86	5	7	認購	0.02	2.71	66.94	2014/...	3.2800	70.41	--
709633	日盛QW	[illegible]	[illegible]	[illegible]	[illegible]	[illegible]	[illegible]	18	認購	0.03	2.68	57.31	2014/...	4.4700	60.36	48.63
708341	日盛WK	1.91	1.94	1.85	▲0.18	+10.78	1	41	認購	0.012	2.64	61.44	2014/...	1.8678	63.08	--
708424	大華W1	[illegible]	4.04	[illegible]	[illegible]	[illegible]	5	14	認購	0.024	2.62	67.04	2013/...	3.9396	--	--

資料來源：凱基證券　整理：卜松波

1.槓桿高，損失倍數也高

　　槓桿高的權證，可以讓投資人在短時間快速賺取高倍數的利潤，但當股價反轉下跌，權證也是以高倍數下跌，損失幅度同樣相當驚人。

2.高槓桿權證通常離到期日近

　　影響一檔權證有效槓桿倍數的因素，包括權證的行使比例（詳見名詞解釋）、價內外程度、距到期日時間等等因素而有不同。高槓桿權證通常會出現在距離到期日非常接近的權證，所以我在挑選時會特別注意，至少要距離最後交易日2天以上（所以這也成為我篩選權證的條件之一，詳見4-6）。

3.認售權證的有效槓桿通常低於認購權證

　　由於認售權證的有效槓桿通常低於認購權證，所以我挑出看空標的、買進認售權證後，隔天賣出的獲利率，會很難超過看

名詞解釋：行使比例

行使比例又稱執行比例，是指買進一張權證可以換購多少股票的權利，行使比例愈大的權證，參與股票漲跌的金額也愈大，權證價格也會愈高。

多買進的認購權證；除非現股跌得很急、很凶才有可能。

4.大型股的槓桿倍數較高於小型股

　　平常我比較少做大型股的權證，但大型股因為流動性好，券商願意發行權證的意願比較高，隱含波動率相對低，所以可以選擇的權證檔數也比較多。當大型股的買進訊號出來後，我通常可以挑到槓桿倍數比較高的權證，隔天的獲利率也會高於一般的小型股。

Note

4-3 委買、賣掛單價 檔數差愈少愈好

　　再來我會看權證委買、賣掛單的「檔差」，也就是委託買進與賣出兩個價格之間的檔數差距，這要愈小愈好。

　　所謂的檔數就是tickers，就是交易跳動單位。比如說權證A和權證B的標的股票都一樣，槓桿倍數也差不多，現在權證A的最高委買價是1.05元、最低委賣價是1.09元，權證B最高委買價是1.21元、最低委賣價是1.22元，這兩檔我會選擇權證B來買。

券商為避險，恐拉大買賣價差補平支出

　　為什麼權證不能像股票一樣，掛出只差1檔的委買、賣價格呢？因為同一時間市場上掛牌的權證超過1萬檔，而市場裡買賣權證的一般投資人大概不超過5萬人，權證的委買、賣單，

並不是市場裡這些自然投資人掛出的，而是由權證發行券商掛出，目的在「造市」，也就是創造這檔權證的流動性，所以權證的買、賣價格和流動性，多數控制在權證發行券商手上。

所以像我們這種散戶的「交易對手」就是發行券商，也就是你多數時候是向發行券商買進權證，同時把權證賣回給發行券商。發行券商掛出的委賣價，通常就是散戶買到的價格，而發行券商的委買價，也就是散戶可賣出的價格。而這一買一賣之間散戶所損失的價差，就很像買賣黃金中間所損失的，或者是向銀行兌換外幣時損失的匯價差額，這數值要愈小愈好。

為何發行券商不能每檔權證都掛出很接近的委買、賣價格呢？因為你進場買權證，他必須去現貨市場上買進股票或放空股票，這個動作稱為「避險」，經常出現價差損失，因此產生必要的交易成本支出。他們為了補平這些避險的支出，收入來源之一，就是委買、賣價格之間的價差。

權證價格愈高，價差比愈低，少買 1 元以下權證

權證小哥的書上有介紹一個很重要的概念叫「價差比」，

165

計算價差比的公式是：（委賣－委買）／委賣價，這是他選擇
權證時最重要的考慮因素。這個概念和我重視價差的概念差不
多，只是因為我數學不好，盤中要計算價差比會耽誤下單時
間，我也不曉得怎麼要求我看盤下單的券商直接提供這個數
字，所以較快速的方法就是直接看委買、委賣價之間的檔差。

因為這個價差的概念，所以我也必須留意權證的價格，最
好買1元以上的權證，這是我挑權證時的第4個條件（詳見
4-1）。以前最早時，依照我的交易經驗發現，低於1元以下
的權證，現股上漲，它卻不太會連動，後來我才想通，因為權
證愈低價，它跟著標的股票上漲的幅度，會因為跳動單位的關
係，被發行券商吃掉了。

目前台股5元以下權證每一次跳動單位都是0.01元，這是
最小的跳動單位，沒有更小的了；而市場上常見的權證價格介
於0.1元～5元之間，4元的權證和1元的權證，如果委買、賣
單的檔差相同的話，權證價格愈高的，價差比例會愈低，也就
是，4元的權證會比1元來得優，因為價差比低。

所以我很少買低於1元以下的權證，我也建議投資人盡量

不要選低價權證，除非你手上只有很少的錢、是帶著買「樂透」的心態來買權證。如果有錢，要盡量選高單價的權證。

4-4 券商掛單量充足 想賣才賣得掉

我們在前一章節提到,像我們這種散戶的「交易對手」就是權證發行券商,也就是你多數時候是向發行券商買進權證,同時把權證賣回給發行券商。所以發行券商掛出的委買、賣張數多的權證,代表你隔天也比較容易出場。

小心券商無良手法1》**隨時縮單**

有些券商掛出的買、賣單都有固定的數字,像是499張、168張、113張等,或是200張、300張等以百張為單位的。以我的資金規模,買一檔權證大概是幾百張,所以我在找權證時,會看買、賣掛單張數最好有幾百張的。

不過有些時候,隔天一早你想買時,券商的買單就縮水了,本來前一天掛買賣單都有499張的,但隔天就只剩下

100張、50張,這樣我們一早要賣掉時很難賣,只能少量分批地賣出,可能才成交不到一半,權證價格就掉了很多,從賺錢賣到賠錢。

我感覺發行券商縮單的原因,大致可以分成以下3種情況:

1.你買到市場知名「隔日沖大戶」鎖定的權證,所以隔天發行券商想修理隔日沖大戶。通常我們也可能和他們買到同一檔權證,就可能一起被修理到。

2.該檔權證的標的股票股本小、當天個股波動劇烈,發行券商避險不易、避險成本高,然後造成券商回收張數縮手。

3.發行券商本來就是黑心券商,一發現有稍具規模的投資人進場,隔日就縮單,想賺錢。

這裡可以先談一下什麼叫「隔日沖大戶」?他們利用自己的資金優勢,在市場上專門利用發行券商避險不及的劣勢來賺錢;有一個在南部的大戶,會找小型股票買權證後,再拉高現股價格,讓手上的權證可以高價出場。

　　還有一個團隊在北部，他們是集資操作的，資金規模雄厚，是台灣權證市場的最大咖。他們運用權證Delta（詳見名詞解釋）概念，使用批次下單方式，瞬間以秒速大買權證，而發行商就必須去爭相大買現股避險，進而推升股價；股價走高，Delta值變大，發行商又必須再去買更多的股票避險；由於股票與權證的撮合方式不同，目前有時間差的問題（編按：權證是逐筆撮合，股票是集中競價，每10秒撮合1次，預計2014年12月29日起改成每5秒撮合1次），造成發行商避險的損失。

　　所以發行券商一發現他們進場，通常都會採取激烈的手段對付。有些黑心發行券商甚至會把這些損失，變相轉嫁給所有權

名詞解釋：Delta

權證的 Delta，指標的股價漲 1 元，權證會反映的金額，也可以說是權證反映標的股價的敏感度；這個數字非線性，當標的股票愈漲愈高時，這個數值會愈大；反之，標的股價愈跌愈低時，這個數值也會愈低。Delta 同時也是發行券商避險參數，所以當權證大戶進場，券商進現貨市場買股避險，造成股價上漲後，權證的 Delta 值也會變大，權證大戶再進場，券商跟著買股的張數也要往上增加。

證投資人，比如說拉大價差、調降隱含波動率、掛單量少，樣樣都來。

小心券商無良手法2》**故意不掛單**

除了縮單之外，還有的發行券商會故意拖到9：15才開始掛出委買單，依照證交所的規定，發行券商在9：00～9：05可以不掛單（詳見下頁Box），但卻沒有強制要求發行券商在9：05分一定要掛單，這規定明顯有利於發行券商，對散戶很不公平。

因為權證小哥書上有寫，遇到發行券商報價或掛單不合理情況時，可以打電話去跟發行券商反映。所以有一次我看到買單只剩下30張時，也有打電話去拜託他們補單，但對方卻說因為現股沒有量，只能掛30張，叫我慢慢賣，但這檔標的股票明明就是很活潑的，也不是小型股，我說這樣很不合理。

還有一次我打電話去另一家發行券商，交易員還問我：你是不是用權證小哥的「盤中監控」軟體？可能這檔權證同時是小哥的軟體當天有鎖定的權證吧，但我明明就沒用那個軟體，聽

了很生氣，脫口而出「一字經」，就掛了電話。

可能我的泰國腔太好認了，在我出席中華民國券商同業公會的權證講座時，那家發行券商的交易員還跑來跟我說，「你上次打電話來是我接的，我被你罵了一頓」，讓我當場覺得很好笑、也有點糗！

■ 9大情況，券商可以不提供報價

依照台灣證交所規定，發行券商有以下9種情形可以不提供報價：

1. 集中交易市場開盤後5分鐘內。

2. 權證的標的股票「暫停交易」的時候。

3. 當流動量提供者專戶內的權證數量無法滿足每筆報價最低賣出單位時，流動量提供者得僅申報買進。意思就是權證幾乎完售，發行券商手中的權證剩不到10張的時候，就可以不掛出賣單。

4. 標的股票漲停時，認購權證得僅申報買進價格，認售權證得僅申報賣出價格，跌停時認購權證得僅申報賣出價格，認售權證得僅申報買進價格。意思是標的股票漲停的時候，造市者沒有義務再賣認購權證，股票跌停時，也沒有義務再賣認售權證。

有時候打去發行券商那裡，是客服人員接的電話，說要30分鐘後才會回電。所以，到後來我索性不打電話了，趕快賣掉手上的權證比較實在，不過現在發行券商競爭激烈，掛出的委買張數如果縮單，不至於縮到10張、30張，至少都還會有50張～60張，以我大概持有的張數1檔大概300張～500張，分個幾批可以賣完，在還算能接受的範圍。

5. 價內程度超過 **30%** 的權證，得僅申報買進價格。也就是深價內的權證，發行券商可以不掛出賣單，只掛買單，把權證收回去。

6. 權證理論價值低於 **0.01** 元的權證；就是內含價值低於 **0.01** 元的權證，發行券商可以不用買回去。

7. 流動量提供者在日常運作出現技術性問題時；例如電腦當機、網路線纜被挖動等技術性問題。

8. 標的股票 **20** 個交易日的歷史波動率超過權證的最佳委買價格隱波率達 **5%**，發行商可以僅報買價。這是指個股受到突發性的利多或利空影響，造成股價大幅波動，若此時券商繼續賣出權證時，券商會因避險不易造成虧損。

9. 當發行人無法進行避險時。

4-5 挑價內外10%權證 與現股連動高

我一開始交易權證時，富邦證券的蕭鈴香小姐教我，只買「價內、外7%」的權證，因為這樣的權證跟現股的連動度比較好。但我交易一段時間後，自己放寬到10%，覺得10%以內的權證，和現股的連動性，在還可以接受的程度。

太價外權證，恐股價漲、權證卻漲不動

什麼是價內、價外？就是權證的「履約價」和「標的股票」市價的差距幅度，簡單判別的方式是：權證的履約價格／標的股票目前市價，除下來的數字大於1就是價外，小於1就是價內。

例如A權證履約價107元，它的標的股價目前市價為100元，那麼就是107／100＝1.07，這檔權證是價外7%。

　　一般在市場上，如果這個數值大於1.2叫「深度價外」，小於0.8就是「深度價內」。太價外的權證，雖然槓桿很高，但因為標的股票價距離履約價很遠，又沒有內含價值（指權證放至到期可以拿回的錢），容易出現股價漲、權證卻不太動的情況，所以我利用這個價內外10%的條件，來篩掉這樣的權證；而太價內的權證則是槓桿比低，本來就不會被我選中。

　　一般的券商看盤軟體都會提供權證的價內外數字，投資人不必自己算，只要在選擇時注意看這個條件就好。

4-6 別買到最後交易日的權證

　　在4-2談到，因為高槓桿倍數的權證經常是快到期的，所以要注意不要買到當天是最後交易日的，免得今天買進權證、明天賣不了，被迫放到到期日隔一天，也就是買進日後第3個交易日，等發行券商結算後，才能拿回現金。這樣你要多承擔2天的股價波動風險（詳見註1）、而且要多付出履約手續費，非常不好。

買到最後交易日，得面臨 2 天股價跳動風險

　　一般權證的「最後交易日」通常是「到期日」往前推算的2個營業日，但券商的看盤軟體可以直接提供「最後交易日」這

註1：結算價計算方式，在 2011 年以後發行的股票型權證，其結算價計算方式是以到期日當天標的股票收盤前 60 分鐘平均成交價計算，指數型權證是以到期日當天標的指數收盤前 30 分鐘平均指數計算。

一項欄位資訊。

大概3年前我有一次慘痛的經驗。有一次我買陽明（2609）的權證，槓桿很大的，營業員打電話來跟我說：「你買到最後交易日的，要注意喔！」我心裡慘叫一聲，因為當天陽明股價就下跌了，等到到期日結算之後，我投入的10幾萬元幾乎歸零，真的很痛。在那之後，我都會特別仔細謹慎，不要買到最後交易日的權證。

一直到2014年6月，有一次我又沒仔細看，買到一個鴻海（2317）權證槓桿20倍，我正高興這檔槓桿怎麼這麼大，買了80萬元，發現檔差愈變愈大，老婆仔細一看，大叫：「你買到最後交易日了啦！」

雖然當天這檔權證帳面上賺了20萬元，但我一點也不開心，心裡滿是煩惱、擔心和害怕。因為從最後交易日起算，隔2個交易日才會到期，第3個交易日才可以拿回現金，如果未來2天鴻海股價跌個3%～4%，我就會虧很大。

幸好到期日那一天鴻海的收盤價，還比我買的那一天收盤高

了一些，結算後這一筆我賺到12萬元，結算手續費可能比直接在市場上賣出還高（詳見右頁Box）；所以放到到期，除了標的股票波動風險之外，要多付手續費，並不划算。在寫書之時，想到這筆交易，我還會感覺怕。

可能會有人問我，快到期的權證我怎麼可以下單？因為一般券商會控管權證新手的帳戶，不能買一個月內到期的權證；所以投資人可以在交易一段時間後，打電話去給你的營業員，請他解除限制，讓你可以下單。

■ 權證直接賣出，獲利比向券商結算佳

在權證到期結算時，投資人所付的履約手續費和交易稅，是以「履約價及結算價 × 行使比例」為基礎進行計算，會比在市場上直接賣出權證來得高。

假設買進 1 張權證每股 1 元，目前市價 1.8 元，你在市場上賣出獲利有 779 元，但如果向券商履約或結算，你只能拿回 362 元，計算如下表：

履約結算的手續費與交易稅較高

	賣出權證	履約（券商採現金結算）
買進權證股數	1,000股	
買進權證成本	每股1元	
履約價格	60元	
行使比例	0.5	
標的股價	63元	
權證市價	1.8元	
內含價值	—	1,500元（63元－60元×0.5×1,000股）
賣出權證金額	1,800元（1.8元×1,000股）	—
手續費	20元（1.8元×1,000股×0.1425%）（註1）	42.75元（60元×1,000股×0.5×0.1425%）
交易稅	1元（1.8元×1,000股×0.1%）（註2）	94.5元（63元×1,000股×0.5×0.3%）
交割金額	1,779元（1,800元－20元－1元）	1,362元（1,500元－42.75元－94.5元）
獲利	**779元** 勝（1,779元－1,000元）	362元（1,362元－1,000元）

註：1. 手續費因單筆未達 20 元，以 20 元計收；2. 證交稅小數點後無條件捨去
資料來源：證交所、各券商　整理：陳淑泰

4-7 黑心券商氾濫 散戶不是被坑假的

　　在買權證時，慎選好的權證發行券商是非常重要的一件事。新手可以多在網路上瀏覽，很多前輩會把對黑心發行券商的不滿寫出來，多方比對就可以知道市場上哪些是黑心發行券商；就我觀察，黑心發行券商的家數不少，至少有一半以上，而且你不要以為這些發行券商在辦什麼權證競賽時就不會黑心，絕無此事！

將權證精美包裝，買進後才能見真章

　　有些權證發行券商把自家權證打扮得漂漂亮亮的，還附上一張來自名門（大型金控旗下券商）的證書，但送入洞房後，投資人才能看清楚這新娘是胖是瘦、是美是醜，買到好的權證，可以高興賺錢，買到不好的只能幹在心裡！在權證市場一定要很精準和謹慎，才能長期生存，不然幾次誤觸黑心券商的權證地雷，一定很快就本錢歸零。

投資人慎選好發行券商，主管機關更要加油

本書站在鼓勵的立場，只寫出我個人交易經驗裡，遇過不錯的發行券商，有元大寶來、統一、國泰證券這3家，目前它們掛出的委買、賣價格的價差穩定，且掛單量充足、不會隨便縮單，讓你想賣可以賣得掉。

我聽說發行券商的權證造市政策，會隨著部門主管變動而改變；我希望黑心發行券商可以改變他們的政策，營造一個公平的交易環境，坑殺投資人只是殺雞取卵，把市場做小了。

在我參加《Smart智富》月刊的權證達人甄選活動之後沒多久，台灣證券交易所曾經找我和幾位權證交易人去訪談，希望尋找擴大權證交易量的良方。我第一個反映少數發行券商造市不佳，在投資人買進後，券商會調降權證的隱含波動率，或是拉大委買、賣價之間的檔差，讓投資人無辜損失；但證交所卻回應「券商沒那麼無聊，天天去調隱波、拉大檔差」，聽到這裡，我真的感覺失望。

我很肯定用權證可以賺大錢，也很樂意教有興趣的朋友，但

部分「小鼻子、小眼睛」的發行券商用賤招，造成投資人損失，有時會讓我擔心，教人家權證會不會是推人入火坑？所以我真的很希望主管機關要多加油，努力了解市場，讓制度更健全，才能讓新進的投資人在公正公平的交易環境裡，能夠長久生存下去！

Note

4-8 權證沒那麼便宜
4大隱形成本別少算

　　前面提到券商會反映避險成本到權證的報價和掛單上，所以
交易權證會有一些隱形成本是買賣股票不會遇到的。

　　我在2014年3月初開課時，有一個從高雄來的學生叫「大
帥」，他自己有交易經驗，老婆又是證券商員工，很快就熟悉
權證這些衍生性金融商品的運作，所以學我的方法後很快就可
以賺到錢，回去後第1個月就用50萬元賺到50萬元，之後用
100萬元，每月都可以賺50萬元以上，累積到我出書前已經
賺了400萬元。

　　自從大帥跟我學後，除了很感謝《Smart智富》月刊，也常
常在賺錢的時候，用即時通訊軟體Line對我表示感謝，我很欣
賞他謙和的態度，更進一步成為無所不談的好友。我們天天互
動，他很了解我的想法、說法和做法。畢竟我是外國人，不太
懂股市專業的東西，大帥剛好補足了我的缺點，常常在群組裡

幫我説出我想説的，可以説是我的最佳代言人。

此外，他也很熱情，常在line上面幫我解答新朋友關於權證交易的疑惑，所寫的文字十分犀利寫實、幽默風趣。經過他同意，以下是他分析權證4大隱形成本一文，很值得大家參考：

「<u>小錢玩權證，夢想大起飛，但見淚痕濕，不知心恨誰！</u>

權友抱持著夢想進來權證市場，聽說散戶大翻身的案例比比皆是，以小搏大，有夠好賺的啦！但事實真的是這樣嗎？潑冷水的事很討人厭，但我（大帥）還是忍不住要冰桶挑戰。

權證有什麼好？只有1個，槓桿平均4.5倍，優點講完，沒了！

你會說：你是瞎爆沒讀書嗎？權證的交易成本低（單價低、槓桿高，換算手續費比率比股票便宜），難道不是優點嗎？且權證的證交稅只有千分之1（股票要千分之3），這些統統是優點呀！

是的，在表面上，權證的交易成本的確很低，但這只是表

面。你買賣權證，發行券商並不跟你對賭，他會去買賣股票避險，他得付股票千分之3的證交稅，一個權友買大立光權證1元、2元的買賣（不討論行使比例），券商必須去買賣一張價值200萬元的股票避險，都是因為你，讓他得付證交稅6,000元給中華民國國庫，還有，發行券商申請發行一檔權證掛牌上市，是要付費給證交所的，另外，員工還要領薪水。

你問我，這些關權友什麼事？權友想想，這個成本誰來出？羊毛不會出在貓身上，券商是營利單位，不是慈善功德會，所以這個成本，當然是轉嫁給權證投資人了。所以我會說，玩權證要付出的成本有以下4項：

1. 時間價值（Theta）成本

從券商提供的Theta值去換算年利率，發行券商收你的時間價值從100%起跳，300%也很常見。買到時間價值超高的爛權證，換算1,000%都不誇張囉（編按：根據權證小哥友情支援，以2014年10月最後一個交易日試算，單一權證最高年利率有3萬2,850%，權證價格0.01元、Theta值0.009；篩選價格大於0.1元的權證，最高年利率也有1萬300%，主要是高槓

桿、快到期的權證）。人家說信用卡年息20%很恐怖，那權證時間價值的年利率這麼高，該稱作什麼呢？

所以權證不能抱久，要短進短出！也要適時停利停損。有人說，那就隔日沖吧；但試想：一檔權證，抱10天被扣10晚過夜費，和隔日沖，10天更換10檔不同的權證，被扣10次過夜費，有什麼不同？其實都躲不掉的。所以，除了週五出清權證可以省下3個晚上的時間價值，其餘都跑不掉。

2. 買賣價差成本

假設券商今日報價買進1.01元、賣出1.02元，很棒，價差比小，只約1%，這1%就是你穩虧的，跟銀樓買、賣黃金一樣，銀樓老闆穩賺的，以隔日沖來舉例，天天買賣，1天虧1%，1年240個營業日就是虧240%。

如果你買權證時，券商的報價是買進1.01元、賣出1.02元，我們以1.02元買進成交，隔天你要賣，他「川劇變臉」，報價買進1.00元、賣出1.02元，我們以1.00元賣出價成交，這一買一賣之間成本變成2%。本來是1%，1年240%……被他拉大價

差,變成1天虧2%,1年就虧480%,記得,480%喔,這是你的價差成本。

3. 隱含波動率微降成本

隱波率是計算權證價格的一個參數,隱波率調降,權證價格就會變低,而隱波率是逐日微降的,不知不覺、無聲無息,讓你的權證價格慢慢變低,每天偷降你一咪咪,平均換算年利率幾%?按!我不知道,也不會算,因為每家券商的標準不一樣。記得,這是你的「隱波率微降成本」。

4. 被黑(黑心發行券商)成本

剛剛的價差比舉例是2%,隱波率舉例是微調降,這樣處理的都算是好券商了,假設你買到爛券商,隔日價差拉大10檔,隱波率不是微降,是狂降,那麼,這些就是你的「被黑成本」。

所以,買權證要的成本,至少包含下單手續費+千分之1的證交稅,還有上列的1~4項,加起來至少要500%的年利率。假設我們算槓桿平均5倍好了,500/5=100,這代表你的

標的股票至少年報酬率100%，你買的權證才會損益兩平。所以，請巴菲特來，是玩不贏權證的，因為他的股票報酬率沒有1年100%。

所以，親愛的權友們，股市是二八法則，20個賺，80個賠，權證呢？看看這成本，或許成本計算有部分略誇大，但也相差不多的，這就是權證100人、倒95人的原因。進權證市場我們都有夢，想擠進這5%窄門，就必須比另95%人更努力、更有紀律、更有正確的觀念、更有執行力。少犯錯，勝利機率大的事情重複做，財富是靠一步步累積的，才能擠入窄門，變成豪門。」

以上是大帥寫的。我藉由他的話來說，現在權證市場環境真的很差，裡面真的有很多權證族的辛酸。我的方法在有大行情或是多頭市場時能適用；但如果遇到漲一天、跌一天，當天現股上下反轉迅速，權證無法當沖，只能用鎖單這一招，第2天還要忍受券商出單慢、量少，或報價不合理、檔差大等未知因素；真的，想用權證賺錢的人心臟一定要強大，態度一定要淡定。不然，可能一開盤就開始問候券商他娘，甚至祖宗十八代！

4-9 手續費很傷本 單筆最好買5張以上

　　大家都說，權證是「以小搏大」的最佳工具，但是你的「小資」，可千萬別太小！以下這段文字，是「大帥」特別在我臉書粉絲頁「外勞的春天 Trader RICH」裡，提醒小資同學的。因為券商的手續費用有基本門檻，所以經常習慣小額下單的人，必須小心你的錢被手續費吃光了！這篇真的很實用，所以也收錄本書中，在此謝謝大帥無私的分享。

　　「小資族，你的手續費有多貴？

　　一般券商收的手續費是千分之1.425，買、賣各收1次，單筆手續費不足20元，一律收20元，所以你每次下單金額最好要超過1萬4,035元（20元／千分之1.425），才不會被券商A走手續費。

　　權證價格有高有低，假設以權證每股價格1.2元來試算，

如果你『單筆』買1張，理論上手續費是：$1.2 \times 1,000$ 股 $\times 1.425 / 1,000 = 1.71$ 元，因為單筆不足20元，一律收你20元，所以券商A了你18.29元（20元－1.71元）。隔日權證賣出時，又收你1次20元，再次A你18.29元，總共A了你36.58元。

多數券商設有 20 元最低門檻，小筆進出不划算

以你投入1,200元來看，券商A你36.58元，投資報酬率馬上虧了3%（36.58元／1,200元＝3%）。你以為3%不多、只是小錢嗎？如果以我們做隔日沖來算，一天被A了3%，一個月有22個交易日，一個月就被A了 $3\% \times 22$ 天 $= 66\%$。都還沒有『開戰』呢，你就先輸了66%。

就算高手中的高手，1個月報酬率也幾乎不可能達到66%，所以，如果你習慣權證單筆都買1、2張，你覺得能有勝算嗎？恐怕比登天還難。以下是『單筆張數』，以權證價格平均1.2元計算，每個月被A的負報酬率表（詳見表1）。

這個例子指的都是『單筆』下單的金額，不管你當天總金額

是買幾百萬元,除非你是超級股神、可以百戰百勝,否則不要挑戰『單筆』買賣5張以內的權證。這一點,常常發生在資金比較少、或是權證新手身上,導致其實操作得很好,卻還是沒賺到錢!」

　　以上是大帥送給小資同學很好的建議。他強調「新手玩太大=危險;新手玩太小=被A很慘」,所以他建議單筆下單至少

表1 若每日單筆買1張,累積1個月就被A了66%
——單筆買進權證手續費負報酬率(權證價格以1.2元計)

單筆買張	1個月被A走的金額比率(%)
1	66
2	30
3	18
4	12
5	8
6	6
7	4.2
8	3

資料提供:大帥　整理:陳淑泰

要買進5張（以每股1.2元的權證來說）吧！

　　另外有一個避免被A手續費的方法是，投資人去開戶時，先打電話問清楚，還是有幾家券商沒有單筆手續費最低20元的限制，而且手續費還打很不錯的折扣，但這些券商的缺點就是規模比較小，提供的看盤、下單軟體很爛，只能看盤用A券商，下單用便宜的B券商了。

4-10 嚴守4大必勝金律 降低賠錢風險

最後,我再提醒權證投資人4個權證交易必勝金律,如果你能做得到,應該不容易在權證市場賠大錢:

金律1》**快進快出**

時間是權證最大的敵人,這在前面章節強調過了,所以權證不適合長抱,你抱愈久,被吃掉的錢愈多,而且出現損失時,一定要快速停損,我的方法就是用反向鎖單。

金律2》**選波動中的強勢股或弱勢股**

波動是權證最好的朋友,選到波動中的強勢股或弱勢股,是權證能否獲利的關鍵。市場上選股的方法很多,例如股價站上短天期均線、均線呈多頭排列向上、法人連續多日買超、成交量突破5日均量、或看各種技術指標的突破。這些選股法

可能都對，但並不是我這套方法所使用的選股法，我用第3篇的2種選股法找到的標的股票勝率很高，我相信很值得大家參考。

金律3》**最好在早盤賣出**

全世界指數長期統計都是「開盤價」高於「收盤價」的機率較高；個股開高走低的機率是遠大於開低走高的，為什麼？因為10個玩股票裡有9個做多，8個喜歡早盤買進（幻想漲停板）。所以我們要反向思考，在早盤利用股票的買氣旺時，做賣出的動作；機率高的事重複做，你就會是贏家。

金律4》**隔日沖才容易賺到大錢**

因為權證有多項隱形成本，放得愈長發行券商賺得愈多，所以市場上賺到大錢的權證贏家多數是隔日沖，除非你有非常堅強的內線才另當別論。

5

培養一定會贏錢的「心」

5-1 技術易懂
克服「心魔」卻很難

在《Smart智富》月刊報導我的故事之後，有一個和我一樣的專職投資人，透過朋友來轉告，勸我不應該把自己賺錢的方法一五一十全部説出來，可能是怕太多人跟我搶這個飯碗、怕我以後賺不到錢。

健全的心理，左右交易勝敗

我很謝謝這個人的關心，其實我沒那麼擔心這個問題。為什麼呢？因為在我教了不少同學這些方法後發現，很多知道這個賺錢方法的人，並不一定能夠持續地賺錢，因為交易的步驟容易了解，但是交易者的心理素質是否健全，才是左右勝敗的關鍵。技術易懂，克服「心魔」卻很難。

對我來説，所謂的「心魔」包括：1.太多股票資訊和新

聞，或是過去對個股的偏見會影響你，不按照紀律下單；
2.心情不好、心有雜念時，會影響你的交易決策正確性，當
然就可能讓你賠錢；3.連續大賺或大賠時，無法平心靜氣地
繼續做交易。最重要的是，4.面對連續賠錢時，要如何調整
你的心情、重建你的信心，讓你能持續再交易下去。所以在交
易過程中，有沒有健全、平靜的「心」，影響真的很大。

賺錢與否取決於態度，放開心才易找到賺錢機會

　　大概6、7年前，我們一家人回泰國時，認識了一位來自台
中的宋老師，他的專長是利用「心理學」做醫療。

　　那時我們和宋老師跟著一貫道的義診團前往泰國，我太太
下車時不小心扭傷腳踝，痛得無法走路，一時之間不知怎麼
辦，於是找他求助；很神奇的是，在他幾句話引導下，沒有任
何推拿、也沒有用藥，他叫我太太站起來試試看，我太太果然
站起來就好了。這讓我覺得非常神奇。

　　我詢問後得知，宋老師平時在台中，會在一貫道佛堂進行
經絡診療，他跳脫死板的教條、教義，在這個團體中獨樹一

格；除了教人經絡之外，他運用慈憫、同理，能滲透人心，得知這個人有什麼樣的「心病」，並進行治療。

所以回到台灣後，即使那時候我們經濟狀況很不好，我還是堅持花2萬5,000元，跑去台中找他上了幾天的課；這筆錢在當時對我們來說不算少，所以我太太很不高興，覺得我很任性、很自私。

記得第一次去台中找他時，我的人生正在谷底深淵，滿腦子想：錢難賺、工作難找、我身體不好、我沒能力照顧好家人、我不負責任……。

他說，我的頭腦病得很嚴重，跟電腦中毒一樣，都充滿負面的想法，怎麼會改變人生？一台電腦裡儲存太多東西，處理速度會變慢、跑不動，甚至中毒，但只要硬碟沒壞，不必丟掉整台電腦，只要重灌軟體就能恢復。

他要我們在腦子裡重新灌入正面的思考，要開始想：錢很好賺、工作很好找、我的身體會愈來愈好、我很有能力、我很特別、我是獨一無二的、奇蹟會發生在我身上……。

永遠正向思考，機會才會與你同在

　　為什麼一定要正向思考呢？宋老師說，人與人和大自然環境是一個生命共同體，共榮、共享、共存在這個世界，宇宙中每一個體都缺一不可，單一個體就像一個傳輸點，處於一個持續分享和接受的狀態，亦即不斷地在發出訊息和接受訊息。不管這個體是自覺或沒覺知，或處於何種心態和情緒，都不斷地在跟這個世界交流、融合著，並交互影響。

　　如果有一位父親對孩子說：「錢很難賺！」孩子接受了這個想法，觀念就會輸入大腦存檔，認定那是真的，之後這孩子的未來，就容易陷入錢難賺的狀態。但是人的經驗會變、看法會變，你認為這個時機錢很難賺，真的就是這樣嗎？不，不是每個人都覺得這個時機錢很難賺。在任何時候都有人賺很多錢，也有人賠很多錢，無法賺到錢這件事，和時代背景沒有絕對的關係。

　　人賺錢與否取決於態度，每次你抱怨錢很難賺、景氣不好時，那些正在賺大錢的人絕不會認同你的想法。你可能會說，這些有錢人是運氣好才遇上賺錢機會，事實上，這些人能

夠賺到錢，是因為他們的心是開放的，是懂得分享的、是正面思考的，就容易看到別人看不到的商機，甚至機會會主動找上他們。

所以發送出什麼樣的訊息和觀念很重要。例如我以前是個工人，但我的孩子不一定要做工；你在傳遞訊息的時候可以這麼說：「這是我聽到的。我目前的經驗的確是如此，但這世界並不一定就是這樣。」職業是可變的，擁有什麼心態和觀念也是

▲卜松波一家四口現在和樂幸福的模樣。

翁挺耀攝

可以轉變的。所以，千萬不要抱怨時機不對、大環境不好，你所想的並非就是真實的，只是你現在所認為的。

同時，你的想法除了影響到其他人之外，也在向宇宙間傳達著訊息，影響著宇宙的作用運行。就像《祕密》（詳見註1）這本書，裡面寫的就是，「要改變你的狀況，首先必須改變你的想法」。在書裡有一個保險業務高手說：「人的心，能想到的一切，都能做得到。」因為你不斷向宇宙及世界傳達出這樣的訊息，就可以把你想要的東西吸引過來。

註1：《祕密》（The Secret），作者為朗達·拜恩（Rhonda Byrne），她是澳大利亞電視工作者，因父親驟世、工作遭遇瓶頸、家庭關係也陷入僵局，就在人生跌至谷底、生活即將崩潰時，意外發現了隱藏在百年古書中的祕密。即是每個人自身都存在著自己所不知道的能量，只要相信自己可以達成，宇宙的力量就會幫助你，不管是幸福、快樂、健康、金錢、人際關係，都可能給你。

《祕密》書籍一經出版，便橫掃美國、澳大利亞、加拿大、英國等多個國家的各大圖書排行榜，創下美國賽門與舒斯特（Simon & Schuster）出版史單月再版破 200 萬本、4個月銷量破 500 萬本紀錄，並榮獲「諾提勒斯書獎」（Nautilus Book Award）。之後，有關於「吸引力法則」的書籍大量地出現在全球各大連鎖書店以及網上連鎖書店之中，掀起了一股全球性的關注「吸引力法則」的熱潮。在中國、台灣、香港、日本、南韓等亞洲一些國家，這股「祕密」風潮也是風起雲湧，掀起了新時代新的心靈勵志風潮，甚至有專業人士稱這本書為「心靈勵志聖經」。

5-2 培養正向思考
不因挫敗而放棄

《祕密》這本書的核心在闡釋「吸引力法則」，你怎麼想，事情就會按你想的方向發展；告訴你信念、意念的重要，就是中國古人說的「心想事成」。

也就是鼓勵你隨時都保持正面的想法，這對專職交易人很有用，不會因為幾次的挫敗，就出現負面的想法，或是讓你在一出現負面想法時，就可以警覺、提醒自己不要再繼續下去。

不可能每筆贏、天天贏，先做好面對賠錢的態度

因為每天都在交易，尤其是做權證，獲利起伏波動很大，你不可能每筆贏、天天贏。有一個很重要的心理建設，是面對「賠錢」的態度。以我過去的經驗，如果我連續幾天都賠錢、感覺很低潮的時候，隔天就可能讓我大撈一把；把之前賠

的全部賺回來。所以我會告訴自己：絕對不能放棄。

賠錢時，我會告訴自己，我損失的這些小朋友（指錢）出去，會帶更多朋友回來我的口袋裡，一起共襄盛舉。所以《祕密》這類心靈書籍，對我現在面對挫敗時很有幫助。

所以我常對那些來向我學權證的人說：「權證很簡單，沒什麼難的！要不斷告訴自己：錢很好賺，要快樂地賺，如果你是很累地賺，會賺不到錢。」我這麼說的目的，就是希望大家能運用信念的力量，用簡單的方法，就能輕輕鬆鬆賺到錢。

除了《祕密》這本書，宋老師還介紹了《與神對話》（詳見註1）、還有哲學家奧修（詳見註2）的相關著作等心靈叢書

註1：《與神對話》（Conversations with God），是由美國通靈作家尼爾‧唐納‧沃許（Neale Donald Walsch）所寫的暢銷書籍，系列共有3冊，第1冊談論個人與世間的關係，第2冊談論人類社會中有關經濟、教育、社會、政治、性、工作、宗教等等社會議題，第3冊則是時間、空間、乃至於整個宇宙、外星文明等廣泛議題。
尼爾‧唐納‧沃許歷經失業、婚變、車禍、流浪街頭等人生重大打擊，在絕望之餘寫下對「神」的種種質疑，竟意外收到來自「神」的回應，紀錄成冊出版後，引起廣大的迴響，在全球翻譯成36種語言，全球暢銷超過1,200萬冊；受到廣大超自然研究者、神祕主義、新時代運動人士推崇。

給我們，要我回去慢慢領會、體悟。受到他的影響，我開始喜歡看心靈叢書，尤其是在自己低潮的時候，這些書對我的幫助很大。

寫到這裡，有些讀者可能覺得很好笑，這本書是要教人投資，又不是心靈叢書；但我感覺，這種激勵自己賺到錢的方式很有效，所以寫出來和大家分享，到現在我還常常會去找宋老師，我們變成是朋友，我有什麼特別問題，都會想去找他聊聊。

註2：奧修（Osho，是和尚的日語發音「オショウ」）為印度人，原名香卓拉穆罕簡（英語：Chandra Mohan Jain；1931 年 12 月 11 日～ 1990 年 1 月 19 日），曾是哲學教授，在 20 世紀 60 年代走遍了印度做公共演講。他直言不諱地批評社會主義、聖雄甘地和制度化的宗教，而備受爭議。他主張以更開放的態度對待性行為，曾前往美國，到美國奧勒岡州開闢靜心社區，強調「了解性、超越性」，被視為離經叛道，遭美國驅逐出境。1970 年，他定居於孟買，成為靈性教師並開始收門徒。他曾經提到，人的病有千百種，但解藥只有一個，那就是「靜心」。

Note

5-3 錢是滿足需要的工具 花錢買股也一樣

作為一個交易者，要先對金錢有正確的認知。我們需要的不一定是錢本身，我們想要的可能是安全感，或是想用錢去交換想要的東西，只因為那樣東西是可以用錢換來的。

我很認同宋老師，他認為金錢是一種物質宇宙的交換工具，是個人交換其所需的工具；我們用錢來支應食、衣、住、行、育和樂等方面的需求，樂放在最後面，是因為人活著最重要的是有「樂」，人生的目的應要獲得「快樂」。但這快樂能持續多久呢？必須重新審視你的樂，是來自於「賺錢」、「擁有錢」、還是「花錢」？所以當你在使用金錢時，要問問自己是否是喜悅、尊重、善用它（錢），且相信這是一個公平的交易？

孟子曾說：「獨樂樂不如眾樂樂」（詳見註1）。所以你要

把花錢看成是一種祝福，不管用來繳費或買東西，要花在你覺得會很快樂的事物上面。

快樂地使用錢，讓自己更接近有錢人一步

如果一邊花錢一邊咒罵，覺得「不值得」，這樣就會失去擁有金錢對個人的意義，不但讓你無法得到「花錢會快樂」的感覺，還可能造成你的福氣變淺、變薄。

所以到底要花多少錢，不是看你口袋裡的金額，而是看你花了這筆錢之後的情緒、或是說快樂程度。如果你很有錢，買了一台便宜的國產車，但是你覺得很好開、很舒服，就應該繼續開，不必換車。

相反地，如果你沒有錢，好不容易湊了錢，買了一台昂貴

註1：典出《孟子‧梁惠王下》中孟子與齊宣王的對話：孟子曰：「獨樂樂，與人樂樂，孰樂？」（自己一個人聽音樂，和與別人一起聽音樂比起來，哪個比較快樂？）齊宣王曰：「不若與人。」（和別人一起聽比較快樂。）孟子曰：「與少樂樂，與眾樂樂，孰樂？」（與少數人一起聽音樂，和與多數人一起聽音樂比起來，哪個比較快樂？）齊宣王曰：「不若與眾。」（和多數人一起聽比較快樂。）

的進口車，你開了之後覺得不適合或不喜歡，就應該把它賣掉，因為你不懂得如何用它、現在不適合擁有它，應該把車子轉手給適合這台車的人。

很多人都想變成有錢人，首先應該在想法上轉變，先把自己想成是一個富足的人，用錢的時候要保持愉快的心情，那你就具有變成有錢人的潛力了。

因為當你可以快樂地用錢時，第1，你會有更多的機會接近有錢人，認識他們、進而成為他們的一分子；第2，當你用錢時是很開心愉快的時候，這筆錢流動出去後，就會有再流回來的引力。

如果你把錢花出去的時候，害怕它會消失不見而產生痛苦的感覺，當下你就是貧窮的人，當你送它出去的時候是「不開心的」，這筆錢一旦流動出去，就很難再流回來了。

因此要記得，每天用錢去換取任何服務，都要覺得很快樂，都是祝福！如果買了衣服穿在身上還嫌它貴，就要立即轉念，感覺它穿在身上很舒服，那就值得了。這樣付出去的

錢，很快就會再流回來。

買到的股票一定是自己能接受，否則就停止交易

同樣的道理，用在花錢買股票上，一定是覺得某一檔股票將來會漲，有賺錢的機會才去買它，你用這個價錢去買到的股票，一定是自己能接受，並認為這股票是可以替你賺錢的、是有用的，你若覺得這筆金錢交易是公平的，彼此值得擁有，就會愈來愈富有。所以，當你覺得有一點點不公平，或無法扭轉觀念時，就停止進行這筆交易。

宋老師認為，改變觀念是非常重要的，只有先改變觀念才能改變行為模式！知難行易。就像市面上理財的書籍有很多，你要選擇哪一本呢？其中又有哪一種方法才是最適合你的呢？覺得某個方法適合自己的就去行動，要全力以赴去嘗試，感覺不適合的就捨棄，因為你心裡已經先覺得這方法不會讓你賺到錢，那麼這個機會就會消失、對你就是無用的。

還有成功的第1步，一定是先騰出腦子裡所需的學習空間，你一定要先告訴自己「因為我不知道他的理論、他的方法，才

會買這本書來看、來學習，我必須注意聽、注意看！」只要
十句、百句裡有一句是我能用的，我就可能因為這句話而受
益。

　　知識就是力量，力量就是金錢。擁有愈多的知識，愈能夠創
造力量及金錢。曾經有人問一個智慧老者：「你的智慧從哪
裡來？」老者答：「從觀察來。」觀察從哪裡來？老者答：
「從對的經驗來。」對的經驗從哪裡來？老者答：「從錯誤經
驗來。」所以，若跟對真正的有經驗者，可以大大減少你所犯
的錯誤，減少學習的時間。

Note

5-4 為什麼經常 連續賺或連續賠？

　　在我已經有幾百萬元在做權證時，我的第1筆「試單」還是大概用20萬元或30萬元，做對才加碼，不對就立刻鎖單停損。這不僅是資金和風險控管而已，還是為了讓你的心能夠平靜。

做對會激勵心，做錯心受傷影響下筆交易

　　因為第1筆小買是試水溫，假如做對了，即便只賺到小錢，對「心」的影響很大。因為我們賺錢時，心情會跟小朋友吃到糖果一樣很開心，會很積極的、狂喜的，繼續往上買。

　　而小買若賠錢，它對我的心不會有很大的影響，不會傷心，我還是可以繼續交易。但如果你一開始就壓大，賠了大錢、資金受重傷，「心」就會受影響，很難繼續你的下一筆交

214

易。不能讓自己「一朝被蛇咬，十年怕草繩」。

　　我喜歡用小孩與狗的故事來比喻；小孩就是我們交易人、狗就是這個市場。小孩通常會害怕體積比他還大的狗，如果要讓小孩喜歡狗，最好的方法是一開始只讓小孩跟小狗玩，長期玩下來、熟悉了，小孩便會逐漸接受中型的狗、甚至連大型的狗也不怕了。

　　如果小孩一開始就跟大狗玩，一下子被咬了，那種痛苦會深植在他腦海裡，可能讓他很久一段時間、甚至一輩子都會害怕狗，要讓小孩再有勇氣回頭來喜歡狗，幾乎是不可能了，不容易讓他的心恢復原來的狀態。

　　比起很多大資本金融機構的交易員，我算是交易小咖，但還是會受單日交易賺錢或賠錢而影響心情。我發現當我賠錢時，不只會賠1天，常常會連續賠好幾個交易日，最慘的是2014年3月，3月6日一天就賠了55萬元，是我進市場以來單日虧損最大的一天，真是嚴重影響我的心情，之後我連賠了20多天、總共賠掉100萬元，直到最後一個星期才開始小賺，總結2014年3月共賠了80萬元，是我單月最大虧損。

在那段期間，我的心很「亂」，怎麼選股、怎麼做都不對，但身邊人還是用我的方法在賺錢，我開始嚴重地懷疑自己，出現沮喪和否定的情緒。

但很奇怪，在贏錢時，我也會連續賺錢很多個交易日，我相信很多投資人，也會出現跟我一樣的狀況。

事後檢討，我認為，我的連續賺錢和連續賠錢，跟大盤漲還是跌毫無關係，跟「心」的狀態，是有極大關聯的。

《紀律的交易者：培養贏的態度》（The Disciplined Trader: Developing Winning Attitudes）這本書裡面就有解釋這種情況，我非常認同。裡面寫道：

「極強正電性等於經歷最大強度的歡欣鼓舞感覺，極強負電性類似經歷無邊的恐怖，你必須了解能量性質的觀念，因為能量性質影響我們對環境本質所形成的信念類型，信念會進而影響我們對資訊認知的方式，也會影響我們和環境互動的方式。

正能量具有擴充性，會藉著創造有信心的感覺，促進心智成

長或學習，進而產生探索與發現不可知事物的開放心胸，會促進我們保持像兒童一樣對環境的天生好奇心。

我們為了滿足好奇心，和環境互動，產生經驗，學習過去所不知道的東西，從而對生活感到興奮，因為我們不斷加強學習事物存在的道理，我們在環境裡更有效運作的能力也因此提高。例如，高興地把小孩拋在空中再接住，小孩會求你一再這樣做，這是小孩和環境互動，延長正面經驗的方法。

正能量記憶會賦予我們有信心的感覺，讓我們走出去，嘗試新事物、促進心智成長。

如果小孩第一次的體驗是拋在空中，但是沒有被接住，意外地掉在地上。痛苦經驗會產生負能量記憶，進而產生恆久的恐懼循環，因為我們避不體驗，恐懼循環會產生不平和不滿循環，就切斷了學習時感受到的快樂。

正循環具有擴張性，負循環卻具有退化性。身為交易者，你必須能夠客觀的觀察，你必須學會辨認很多細微的恐懼，以免恐懼在你不自知的情況下，摧毀客觀觀察的能力。

～節錄自《紀律的交易者：培養贏的態度》」

　　所以，賺錢時可以連續賺，因為心裡覺得很好賺，正能量發揮了擴充的效果。賠錢時會怕再次賠錢，是因為心裡已經恐懼害怕，負能量持續蔓延；我建議，遇到這種連續賠錢的時候，就要盡量縮手，減少投入的錢，等到重新開始賺錢、正能量出現後，也就是信心恢復時，再開始放大部位。

✎ **N**ote

5-5 專職交易者 需要每天「靜心」

　　作為一個交易者，每日的交易都需要把心靜下來，不要受到前一日交易成績的干擾，如果遇到操作低潮時，更需要「靜心」，我的建議是可以暫時停止交易。

　　因為就算世界頂尖的職業球員，在球場上也都會有低潮期。股市操作也一樣，總會遇到低潮期，當感覺節奏不對，「不順」時，最忌諱的就是情緒失控、硬拚蠻幹，正確的做法是讓自己靜下心來，壓下情緒，休息幾天，好好思考與調整步伐，再重新出發。

每天把自己歸零，當作股市新生

　　宋老師的課也教我們「靜心」的重要。其中哲學大師奧修最強調的就是靜心，我會學習他的方法，躺著靜心，什麼事都不

想。或是去運動，到海邊吹風走走，放空自己。

在奧修的書《靜心與健康》教我們如何靜心時，寫道：

「靜心不是要你逃離生活、反對行動，它只是給你的生活一個新的品質……你會感到更多的清晰、喜悅、創造力，你成為超然的，看著周遭發生的一切，但是不受到打擾。你的寧靜和放鬆的品質，不會因為外在事物的起落而改變，沒有什麼可以奪走它，連死亡也不能。

靜心的靈魂是『觀照』，主要精神就是在學習如何觀照，比方說你在看著一棵樹，但是你的內在有一個觀照在看著你看著這棵樹，觀照的客體並不是要點，要點是觀照。

要進入靜心，讓寧靜、覺知的品質在生活中久駐，技巧是有幫助的。當你什麼事都不做，不論是在身體上或心理上，當所有的行動都停止，而你只是存在，那就是靜心。它不是你可以『做』出來的。你就只是放鬆，只是存在，你放棄所有的作為，思想、沉思，集中精神都是作為，你只是完全的放鬆，停留在你自己的中心，即使只有一個片刻，那就是靜心。一旦你

得到了那個訣竅，你想要停留在那種狀態多久，你就可以停留
多久。

～節錄自奧修《靜心與健康》」

　　靜心能讓我去除雜念、完全地放鬆，也能讓我全然地專
注；這對我操作權證有很大的幫助，可以很快做出決定、很快
地下單。所以每天我還是盡量把自己歸零，當作是一個剛報到
的「新生」來到股市一樣，希望「心」可以保持在最好的狀
態。

Note

5-6 贏家的5個長相

我認為在市場裡當一個永遠的贏家，會有5個長相：

長相1》操作方法簡單、信仰專一

我聽過市場上一位專職投資人，只用2條均線判斷進出，就賺了幾億。所以我認為投資操作的法則愈簡單愈好，在市場沒出現大變化讓招術失靈，只要能繼續賺錢的，就是好方法。

市場上操作之神有很多，投資人永遠拜不完，到底要拜哪尊神最好？我覺得適合自己最重要。就像曾向我學權證投資而賺錢、現在成為好友的大帥說的：「不管黑貓白貓，能讓你賺錢的就是你的招財貓！」然後不要變心、不要劈腿、不要見一個愛一個，信仰專一，才能學好功夫。

在股市裡有很多老師或專業投資人，上知天文、下知地

理！基本面、技術面、籌碼面，面面俱到，講得一口好股票，但對帳單與口袋，卻是很不「給力」。有些人則是在投資路上學得太雜，所有門派的東西都想去嘗試。這種人操作時，「心」太複雜，因為有太多的準則和策略，遇到要下單的時候，反而成為負擔與障礙。就像你在一個原本很清澈的池塘裡想抓魚，但硬是放很多道具進去，水被搞得混濁，你反而看不清楚魚在哪裡了。

長相2》**學習前先放空自己**

我讀國中的女兒，對股市完全陌生，一張白紙，用我這套簡單方法，在暑假用一個半月操作權證，賺了50%。

有一個朋友的兒子，1995年生，高中念到一年級就放棄了，他認為自己不適合現在教育體制，2012年第一次來跟我學投資，連續3個月都賺錢，那時才17歲的他說，用這套方法，他30歲就可以退休了。

但一樣的操作方法，大部分有多年股市經驗的叔叔伯伯阿姨使用，結果卻是虧損的，為什麼股市經驗豐富的人，會輸給沒

有交易經驗的人？原因就是這些人是股市老油條，想學習，卻不肯放空自己，在交易時不知不覺地，陳年舊方法又輕易「上身」，導致池塘又開始混濁。

長相3》**尊重市場、懂得認錯**

當個股的走勢與預期背道而馳時，切記，市場永遠是對的，錯的人就是自己！

當判斷錯誤時，贏家會當機立斷認錯，緊急修正自己的看法。而輸家總會說，這是假突破、假跌破，泰山已崩於前還認為只是假象，他們總是自我感覺良好，等到兵敗如山倒時，才會含淚認輸。

有一次我在盤前信心滿滿地跟大帥說，這行情會漲到1萬點！開盤之後，因為盤勢不如預期，我馬上買一堆的認售權證，他很驚訝我在短短10分鐘內可以馬上改變想法，我想，短線贏家都必須是這樣的，口袋裡有多少新台幣才是最重要的，至於10分鐘前預測過什麼事？Who cares（誰在乎）？贏家贏在修正，而不在預測。

長相4》 **如履薄冰、不驕傲**

因為天有不測風雲，市場無情，哪怕你已開始晉升贏家之列，也得要時時小心謹慎，因為「股票市場沒有輸不完的財產」，必須永遠提防它的無情滅頂。步步為營，直到你已發大財，離開股市的那一天。

長相5》 **贏大、輸小**

選股的方法五花八門，誰的選股方法準？如果自稱勝率100%的，我會說他一定是唬爛；80%的，很可能是欺騙，除非他是贏才賣、輸打死不賣；70%勝率有沒有？在超級大行情時，或許短期會有。

我觀察賺錢贏家大部分的勝率都只有50%～65%。如果叫幼稚園小朋友來猜哪些股票明天會漲？會跌？猜個1,000次，小朋友的準確率大約就是50%，準確率想要低，也低不下去的。

但在100次交易裡，如何對待那對的50次，就是贏家和輸

家的差別。贏家會在賺錢的那50次，運用加碼把賺錢的部位
搞大，在賠錢的50次，運用縮手讓賠錢的部位輕微，或運用
鎖單來結束虧損；如此一來，勝敗次數雖然各半，但總結還
是大賺。贏家賺錢時，速度像坐高鐵；賠錢時，速度像坐牛
車。

　而輸家呢？賺錢時會只想著持盈保泰，盡速想落袋為安；
賠錢時不願承認錯誤，「我怎能錯？」一定要拗到小賺為
止——拉長戰線，加碼攤平！最後變成「贏螺絲、輸飛連
機」（台語俚語，比喻贏小錢、輸大錢）。

Note

5-7 靠自己 不請人代操

權證是這1、2年國內最火的金融商品，許多新手投資人相繼投入此市場，但因對權證商品及交易規則陌生不了解，加上輕信市場上一些自稱高手的操作功力，所以經常有私下委託高手代操的情形。

讓人代操容易被不肖人士五鬼搬運

撇開法律層面的問題不談，帳號讓人代操，是很容易被不肖人士給五鬼搬運、不知不覺把你的錢洗走的！因為權證開盤後5分鐘內，券商可以不造市，也就是不掛委買、賣單，也不進場買、賣權證，這時候正是不肖代操者可趁之機。

比如說，這代操者可以在前一天，在他私人帳戶，或他所使用的人頭帳戶，先買進價格只有0.01元的A權證，在隔天9：00高掛1元賣出，1元的價格當然是不合理價，市場投資人

不可能買，但別忘了，你的帳號是委託他下單的，他可以在9點4分59秒之前，用你的帳號，買進吃下這筆高掛1元的A權證，這筆單成交了，他私人昨天買0.01元，今天賣出1元，獲利100倍。

所以，這個代操者要暗自洗你多少錢，全都由他自己決定。而你的帳號用1元買進的A權證，其實只值0.01元，之後在市場賣出的價格也是0.01元。當然，為了不讓你發現，他會有很多筆是正常操作的單子，這筆交易只會隱藏在他眾多交易的其中一筆而已。

如果帳戶出現虧損，他會跟你說，最近盤勢很難操作，但下個月很快可以幫你贏回來，甚至要你增資，說這樣可以贏回更多；不知不覺地，你的錢就慢慢進了他私人口袋。所以，我絕不建議投資人讓別人代操權證，這是很危險的，我個人也不會幫別人代操。

5-8 幫助別人累積福報 從股市穩定提款

　　我自己是苦過來的，很能理解一些身陷困境的人，想學投資、搏翻身的心情。所以這幾年我靠交易賺錢之後，也希望能盡量幫助別人，不論是捐助公益團體、或是賺錢方法的傳授上。我相信這會變成一個正向的循環，所以這本書所有的版稅收入，我都會捐贈出來作為公益之用。

分享投資成功心得，從股市獲得「感動」

　　我記得有位股市高手說喜歡投資賺的錢拿去捐，會「愈捐愈多」，會怎麼捐都捐不完！我很喜歡那種怎麼捐都捐不完的感覺，雖然我不「富」，但我「有」，如果真的要等到賺到很多錢才說要幫助別人，那會很遙遠。我把我有的方法，分享給想知道的朋友，當他們跟我說因為我的方法賺錢，我也像自己賺到錢一樣，非常開心。

在《Smart智富》月刊185期報導我的故事後，很多人跟我說看月刊寫的操作就可以賺到錢，所以我也相信《Smart智富》月刊是真心想幫助大家的。有一個網友傳給我下面一段話：

「師父你好！請容我叫你一聲師父，因為我在今年1月看到你上《Smart智富》月刊，我被那本雜誌封面吸引了，你的操作方法淺顯易懂，我馬上買了3本同樣雜誌，因為這會受用一生。

我從1月丟2萬進股市，雖然沒有賺得很快，但我也賺到十幾萬了。我相信隨著資金和經驗增加，我會愈賺愈多。所以請容我叫你一聲師父，你讓我學會了賺錢的功夫，將來的日子，我的家人一定都能過好生活，我也有能力幫助更多人。衷心感謝師父～」

常常有類似的信傳到我的臉書上，這些人我從來都沒有見過，說真的，看了有很不一樣的感覺。其實大家都知道，在股市裡每個人，不管外資還是國內主力、大戶小戶，只想把別人的錢放到自己口袋，我相信他們很難從股市得到「感動」這兩

個字。

與權友互通有無，大家一起增加賺錢機會

當然，找到我本人、來找我學權證的人，我也都盡力教他們。我把這些學生當成我的朋友，就像宋老師說的，不管是古人、外國人，甚至動物和植物，都可以是我們的學習對象；把交友圈再擴大，就好比是益（異）業結盟、可學習對象的再擴展，會讓你人生更豐盛、更喜悅、更成長，所以不要排斥任何人。

現在這些同學在盤中都會跟我「互通有無」，因為個別股票的股價變化很快，現在即時通訊軟體又很普及，大家可以分享挑到哪些好的股票，等於我的「眼線」變多了，大家可以一起賺錢。

開辦權證教學公益班，不只教學還有滿滿收穫

在這裡可以說說幾個成功的例子。像之前談到的朋友兒子，在2012年來我家學了方法之後，有段時間回去高雄自己

試，獲利不很理想，2014年年初又再來找我，拿了80萬元本錢出來，2014年1月～6月獲利已經翻了1倍，7月份之後愈來愈穩定，有時一天可以賺10萬、20萬元，比一般上班族好很多。到2014年10月他報到當兵去了，最後結算賺到150萬元，也就是不到10個月的時間，獲利187.5%。

對第4篇貢獻很多的「大帥」，原本是做期貨，沒賺到什麼錢，看到《Smart智富》月刊報導我的故事之後，開始試著用我的方法改交易權證，在2014年的1、2月每月獲利大概5萬～6萬元，3月初來上我的課，回家後3月份的獲利就大增到50萬元，用本錢50萬元算，1個月獲利1倍，成績很驚人；之後同樣每個月獲利都在50萬元以上。他跟我說，沒有上課的話，月刊看得似懂非懂，但上課之後再回頭去翻月刊內容，就覺得寫得非常清楚。

大帥是高雄人，在八一（2014年8月1日）高雄氣爆事件發生時，我馬上跟他提議，想開一個公益課程幫助災區的居民，只要捐款到災區的人，憑匯款證明都可以來跟我上課，我在盤中親自示範我的賺錢方法。大帥因為住在災區附近，聽到我的這個提議很高興，立刻說要義務幫忙，還要跟我分擔上課

的費用。

我們很倉促決定8月8日父親節上課，因為我的太太芳玉說2014年8月8日早上8點上課，就是「讓你一世發發發！」記得發布開課訊息是一個星期五下午4點多，沒想到竟然有人趕在星期五的5點前傳給我超商捐款的憑據，隔週二的早上累積有30多人傳來捐款證明，我們就決定截止報名了。

後來大帥負責租車，我負責租會議室和訂便當；上課地點在宜蘭大同的一個旋轉餐廳，從羅東開車過去要1個小時，因為是實戰班，要趕在股市開盤之前抵達，還有兩個同學從高雄來，所以一群人一大清早起床，翻山越嶺地去上課。

當時那位朋友的兒子還沒去當兵，也幫忙一起教課；大帥在課堂上發送他印製好的講義，課後還用line群組傳送很多實用的權證資訊，讓大家直呼參加公益班「賺很大」；但住高雄的大帥說，回到家也來不及慶祝父親節，是唯一的遺憾。好幾個同學回去後幾天，就在line上面跟我說，他們已經開始賺錢了；我相信這些大方付出愛心的人，未來一定也可以和我一樣，輕鬆簡單地在股市穩定提款。

✏️ **Note**

國家圖書館出版品預行編目資料

泰勞靠權證 8萬變千萬 / 卜松波著 . -- 一版 . --
臺北市：Smart 智富文化，城邦文化，民 103.12
　　面；　　公分
ISBN 978-986-7283-57-3（平裝）
1. 認購權證 2. 投資分析

563.5　　　　　　　　　　　　　　103024586

Smart 智富
泰勞靠權證　8萬變千萬

作者	卜松波、陳淑泰
商周集團	
榮譽發行人	金惟純
執行長	王文靜
Smart 智富	
總經理兼總編輯	朱紀中
執行副總編輯兼出版總監	林正峰
攝影	翁挺耀
編輯主任	楊巧鈴
副主編	李曉怡
編輯	連宜玫、邱慧真、胡定豪、劉筱祺
	施茵曼、林易柔、謝惠靜
封面設計	廖洲文
版面構成	黃凌芬、張麗珍、廖彥嘉、林美玲
出版	Smart 智富
地址	104 台北市中山區民生東路二段 141 號 4 樓
網站	smart.businessweekly.com.tw
客戶服務專線	（02）2510-8888
客戶服務傳真	（02）2503-5868
發行	英屬蓋曼群島商家庭傳媒股份有限公司城邦分公司
製版印刷	科樂印刷事業股份有限公司
初版一刷	2014 年（民 103 年）12 月
ISBN	978-986-7283-57-3

定價 280 元

Smart 自學網

誠摯邀請您加入 Smart 自學網，透過自學網，您將定期獲得最新的出版訊息、課程講座，以及各類優惠活動資訊，歡迎您上網登錄。

登錄網址：http://bit.ly/1wo281P

---

f 臉書粉絲團關注中！

Smart 智富月刊
facebook.com/smartmonthly

盤後同學會
facebook.com/55vip

下班同學會
facebook.com/55job